HEROBRINE
O RETORNO

PETTER CREEPER

GERAÇÃO
jovem

Copyright © 2017 by Geração Editorial

1ª Edição — Outubro de 2017

Grafia atualizada segundo o Acordo Ortográfico da Língua Portuguesa de 1990, que entrou em vigor no Brasil em 2009

Editor e Publisher
LUIZ FERNANDO EMEDIATO

Diretora Editorial
FERNANDA EMEDIATO

Assistente Editorial
ADRIANA CARVALHO

Design de Capa, Projeto Gráfico e Diagramação
ALAN MAIA

Ilustrações
ESTUDIOMIL

Preparação
SANDRA MARTHA DOLINSKY

Revisão
MARCIA BENJAMIM

DADOS INTERNACIONAIS DE CATALOGAÇÃO NA PUBLICAÇÃO (CIP)
(Câmara Brasileira do Livro, SP, Brasil)

Creeper, Peter.
   Herobrine : o retorno / Creeper, Peter.
-- São Paulo : Geração Editorial, 2017.

ISBN 978-85-8130-376-5

1. Ficção juvenil I. Creeper, Peter. II. Título.

17-01425   CDD: 028.5

Índices para catálogo sistemático

1. Ficção : Literatura juvenil   028.5

GERAÇÃO EDITORIAL
Rua João Pereira, 81 - Lapa
CEP: 05074-070 - São Paulo - SP
Telefone: (+ 55 11) 3256-4444
E-mail: geracaoeditorial@geracaoeditorial.com.br
www.geracaoeditorial.com.br

Impresso no Brasil
Printed in Brazil

Esta história não oficial de Minecraft é um trabalho original de *fanfiction*, não sancionado nem aprovado pelos responsáveis pelo jogo Minecraft. Minecraft é uma marca registrada e de direitos autorais da Mojang AB, que não patrocina, autoriza ou endossa este livro. Todos os personagens, nomes, lugares e outros aspectos do jogo descritos nesta obra são marcas registradas e, portanto, propriedades de seus respectivos donos.

PRÓLOGO

A criatura estava no fim do mundo; seus olhos mal brilhavam, seus joelhos já não o aguentavam em pé, suas mãos tremiam como tantas outras que ela fizera tremer. Ele sabia que lhe restava pouco de vida e que seu império não se completaria nesta existência. Sabia que sua forma conhecida estava morta; ele passaria a ser um espírito que vagaria por Mine, uma fumaça que confundiria outros olhos, um fantasma que se esconderia na penumbra.

Abriu mão de todo poder ou glória. Sabia que, por hora, não se sentaria no trono. Sabia, também, que o mundo Mine não seria o mesmo depois de sua passagem. Levaria anos para que todos superassem o terror, a destruição, o medo que a criatura libertara. Isso se superassem, caso os próprios humanos não terminassem o trabalho que ele havia começado.

Ele estava em um lugar desprendido do resto da existência; o piso era bege, cheio de torres roxas espalhadas. Estava no fim do mundo, e lá, caminhou até uma fonte que lhe mostraria a parte do universo que desejasse.

Na água violeta daquela fonte, um helicóptero verde apareceu. A visão adentrou o veículo, e nele a criatura pôde ver dois homens pilotando — dois soldados comuns, um coronel, uma menina e os quatro adolescentes responsáveis por deixá-la em tal estado, semimorta.

A criatura não era mais o ser invencível e onipotente que massacrara o mundo nos últimos anos. Mas isso não significava, de maneira alguma, que era fraca. Ela assumira sua última forma antes da morte.

Ela era falha, tinha partes do corpo em decomposição, expelia um gás branco com certo brilho. Mesmo em seu último estado, era forte e terrível, mais perigosa

que nunca para os quatro adolescentes, pois já não buscava ser rei.

A única coisa que a criatura buscava era vingança.

E começaria de imediato. Levantou os braços, e usando a pouca energia que ainda tinha, direcionou um raio para o helicóptero, que caiu.

Quando abri os olhos, não sabia nem se estava vivo. Fogo e água de uma vez. Um sonho? Meus olhos começaram a desembaçar, ao mesmo tempo que senti a cabeça doer cada vez mais forte. Percebi, então, que o fogo vinha do helicóptero e a água da chuva, que caía sobre nós e nosso já tombado helicóptero. Vi João tentando se levantar com a ajuda de Victor, e vi também Peter ajudando Mary Jane.

A última coisa de que me lembro foi um trovão nos atingindo e o piloto gritando para que ficássemos calmos (coisa que nem ele conseguiu fazer. Parecia um *creeper* pronto para explodir). Ele manobrou como pôde e conseguiu aterrissar — com certa segurança, se pararmos para pensar no que estava acontecendo.

Eu me lembrei, também, de que sabia, logo que o raio nos atingira, aquilo que todos já sabíamos: Herobrine estava entre nós, e com sede de vingança.

— Felipe? Você está bem? — disse João, chegando perto.

— Acho que sim...

Tentei me levantar e senti que alguma coisa doía em minhas costelas.

— Quem mais está vivo? — perguntei.

— Nós quatro, Mary e um soldado.

— Cadê o soldado?

— Fugiu...

— Como assim?

— Deve ter visto cinco adolescentes e pensou que seria um peso para ele.

— Que filho de uma mãe!

— Ele não sabia que o Homem-Aranha estava aqui — disse Peter, enquanto ajudava Mary a se aproximar de nós. Victor também se aproximou e provocou:

— Com certeza, quando ele viu sua roupa... não ajudou muito.

— Você viu a altura da queda a que eu sobrevivi? Eu tenho superpoderes! E ainda salvei todos vocês junto...

— Está dizendo que foi você que nos salvou, não o piloto?

— Eu usei meu sentido aranha para alertar e ajudá-lo.

— Nossa, Peter, chega — reclamou Victor.

— Não acredito que vamos precisar descobrir outra forma de eliminar Herobrine — falei. — Você tem mais alguma ideia, Peter?

A cópia mal-acabada do Homem-Aranha simplesmente deu de ombros e balançou a cabeça. Foi João quem falou.

— Nosso objetivo é esse, não adianta: descobrir como eliminar Herobrine! E não acho que vá ser fácil...

— Ei, ei, cuidado! Tem gente vindo aí! — alertou Mary Jane.

E todos nós nos escondemos atrás de algumas árvores. O lugar estava completamente destruído, com plantas e troncos quebrados pela queda do helicóptero.

Fiz sinal para que todos ficassem em silêncio. Os dois homens estavam armados e não pareciam muito simpáticos. Eu não consegui ver direito, por causa da chuva e da distância. Queria ouvir, mas também não dava.

Eles caminharam pelos soldados que não resistiram à queda e roubaram as coisas que encontraram nos bolsos. Riam, apontavam para o céu, para o helicóptero e gargalhavam. De repente, um barulho ecoou de uma árvore perto deles; um homem apareceu.

— Ei, é o soldado que fugiu! — falou Victor.

— O que ele está fazendo? — perguntei.

Mandaram que se ajoelhasse e apontaram-lhe a arma.

— Está vendo? Eu poderia ajudar agora, mas não vou — disse Peter.

Ele não tinha mesmo noção das coisas.

Os dois esquisitos de máscara prenderam o soldado e o levaram embora.

— Estamos muito, muito ferrados — disse Victor.

— Calma, calma. Precisamos pensar em tudo.

João mexia as mãos, indicando que esperássemos.

— Eles devem ser de alguma milícia próxima. Era sobre isso que eu estava falando no helicóptero, antes de o raio nos atingir — disse Mary Jane.

Pelo que entendi, ela havia se tornado uma pessoa importante para o governo.

— Existem várias gangues, milícias, grupos por aí. Alguns são pacíficos e só querem viver, outros são extremamente violentos. Que sorte a nossa encontrar os ruins primeiro...

— Ela é tão inteligente, né? — disse Peter, com olhos de apaixonado.

Eu não sabia o que dizer, muito menos o que faríamos. Helicóptero caído. Soldado preso. Herobrine

vivo. Nós no meio de uma floresta, sem ideia de onde ir, sem ideia de onde estávamos ou onde conseguiríamos comida e um lugar para dormir. As coisas não pareciam nada boas. Entretanto, as frases de efeito sempre se encaixam em momentos de drama: nada é tão ruim... que não possa piorar...

— Ei, moleques! — gritou alguém no meio da floresta.

— Será que ele nos viu? — perguntou Peter.

— Não, não viu, Peter. Ele nos chamou porque sentiu nosso espírito — respondeu Victor, sem nenhuma paciência.

— Não precisa falar assim com ele — disse Mary Jane.

Eu não aguentava mais aquela situação, aquelas provocações. Quando estava a ponto de explodir, João colocou a mão em meu ombro e pediu calma. Respirei fundo, observei onde estávamos. Meio da floresta, quase que completamente rodeados de árvores, terra molhada e poças de água.

Depois de corrermos por quase dez minutos para despistar quem quer que fosse que houvesse gritado, comecei a sentir frio, por conta das roupas encharcadas.

Certeza que minha mãe diria alguma coisa como "Vai pegar uma gripe daquelas, Felipe!".

O pior é que ela estava certa. Precisávamos encontrar um lugar para dormir, para sair da chuva. E árvores não são o melhor lugar, porque, bem, raios atingiram nosso helicóptero. A chance de atingirem também essa árvore ali de cima era... enorme, já que Herobrine parecia ser bom de mira.

— Galera, vamos procurar algum lugar para dormir, qualquer coisa do tipo — falei. — E vamos tentar não brigar, por favor.

Todos me olharam, concordando. Não precisaram falar nada. Dava para ver o cansaço na cara de cada um. Não só cansaço, mas também muita decepção e, principalmente, medo.

Andamos por quase duas horas. Digo, eu acho, pelo menos... perdi completamente a noção do tempo. Poderiam ter sido só vinte minutos, que pareceram duas horas. Lembro de ter essa sensação na aula de matemática...

Mary Jane começou a correr e gritar. Eu não entendi nada do que ela gritava, mas, sei lá, né... corri atrás, junto com todos.

— Um barracão! Um barracão!

Ela correu em direção ao lugar e eu fui logo atrás.

Ouvi a voz de João e Peter chamando, mas nem dei bola; achei que fosse comemoração. Até que Victor se atirou em cima de mim e agarrou o pé de Mary Jane, derrubando-a em uma poça de água.

O barulho foi alto, mas, graças a um trovão, ficou abafado.

Antes que qualquer um de nós dois pudesse dizer algo, ele colocou o dedo indicador diante da boca, exigindo silêncio. Seus olhos arregalados, boca aberta e respiração hesitante deram-me a certeza de que aquilo não era uma brincadeira.

O negócio era sério!

Eu só não havia entendido ainda.

Victor apontou para o segundo andar do barracão, a uma varanda, onde estava um guarda com roupa preta, quase imperceptível.

Senti meu coração tentando saltar pela boca; minha garganta se fechou e eu não conseguia respirar, imaginando o que poderia ter acontecido caso houvéssemos dado mais um passo.

Arrastando-me na grama molhada, voltei para dentro da floresta, onde Peter falou:

— Meu Deus do céu! Ainda bem que você está bem! Que susto, que desespero! Quase que morro do coração!

— Nossa, Peter — respondi —, obrigado... não sabia que você se importava tanto comigo.

Ele abriu a boca, passou a língua pelos dentes e chacoalhou a cabeça.

— É... é de você mesmo que eu estou falando...

Ele deu um sorriso amarelo e correu para abraçar Mary Jane.

João balançava a cabeça de um lado para o outro, muito mais irritado que o normal. Deu dois passos em minha direção, agarrou minha blusa e me ergueu alguns centímetros no ar.

— Ei, Ei, João! — reclamei.

— *Oloco*, João! — disse Victor.

— Ei, ei, nada! *Oloco*, nada! Você está doido, Felipe? Você quase se deu mal por burrice! Preste atenção! E você também, Mary Jane, veja onde estamos! Olhe tudo isso! Precisamos ser mais inteligentes! Prestem atenção. Ninguém dá um pio sem planejar, ninguém dá um passo sem consultar todo o mundo, sem ter uma estratégia!

— Você está certo, João... Agora, solte-me, por favor.

Ele me soltou, deu-me as costas e se afastou.

— Santo Homem-Aranha, nunca o vi assim! — comentou Peter.

— Ele tem razão… — manifestou-se Mary Jane. — Eu quase coloquei todos nós em perigo.

— Eu também, Mary Jane — admiti.

Levou alguns minutos para todos ficarem mais calmos. Não muitos minutos, porque o que nós menos tínhamos era tempo. A chuva ficava mais forte, o vento mais intenso, assim como nossos dentes batendo.

João voltou para perto de nós e falou:

— Vamos dar a volta no barracão, analisar o que há ali. Vamos pensar em algo, ver se conseguimos entrar ali, se há mais alguma coisa por perto, se eles podem ser amigos. Vamos tentar entender o que é isso. Pode ser qualquer coisa. Um abrigo, uma prisão, um lugar para viajantes se protegerem dos zumbis… Não sei. Eu, Peter e Mary Jane vamos pela esquerda. Victor e Felipe pela direita. E nos encontramos na exata metade do outro lado. Todos de acordo?

Balancei a cabeça afirmativamente. Os outros também. Talvez por ser o que mais tinha conhecimento médico, João sabia quanto era perigoso ficarmos ainda mais tempo naquela situação.

Ele virou as costas, chamou Peter e Mary e seguiram caminho. Eu e Victor fizemos o mesmo, esperando que um pouco de alegria nos encontrasse do outro lado.

A base era maior do que imaginara. Andei por quase meia hora, escapando das lanternas dos guardas e me segurando para não rir de Victor. Ele se atirava no chão, dava cambalhotas e rastejava, como se estivesse num episódio de *A Hora da Aventura*. Ainda ficava bravo por eu não fazer o mesmo.

— É aqui, Felipe.

— Mas, mas... eles ainda não chegaram. Onde estão os três?

— Eles não são tão rápidos; eu disse que meu estilo ninja ia nos ajudar.

— Lógico... foi isso, com certeza.

— Relaxe, eles devem estar chegando.

— Não há como relaxar.

— E se eu contar uma piada ruim?

— Piadas ruins salvam vidas, pode contar.

— E se formarmos uma banda?

— Ué, e a piada?

— Você toca alguma coisa?

— Não...

— Vai ter que aprender, porque eu *toco* fome. Nossa. Nossa. Nossa. Nossa. Nossa.

— Meu Deus do céu, Victor, essa foi ruim demais! Estou quase pedindo para Herobrine me levar.

Na hora em que eu disse isso, um trovão estourou no céu. Eu me atirei no chão de tanto susto.

Victor começou a gargalhar e só parou quando joguei um punhado de arenito molhado na cara dele.

— Olha aí o céu fazendo uma piada com você!

— Não está fácil, não...

— Felipe... estou começando a ficar preocupado com eles.

— Eu também.

Esperamos por quase uma hora, demos uma volta completa ao redor daquele terreno. Eu e Victor nos

olhávamos o tempo todo. Sabíamos o que deveríamos fazer, mas era perceptível que ele tinha tanto medo quanto eu. Por isso, preferimos esperar um pouco.

Até que a chuva ficou ainda mais forte.

Respirei fundo; ele também.

Parecia que nos comunicávamos por telepatia, mas a verdade é que só tínhamos uma opção, uma única decisão a ser tomada.

Invadir aquela base e resgatar nossos amigos!

Depois de investigar as entradas e descobrir como eu e Victor poderíamos burlar a segurança, entendi que aquele lugar era uma antiga fábrica. Pelo seu tamanho, pelo excesso de chaminés do telhado e, também... porque vimos uma placa escrito "FÁBRICA". O resto estava apagado... então, não sei o que eles produziam.

O prédio era retangular, com alguns portões e portas ao redor. O interessante é que só havia guardas em uma parte dele. Portanto, dava para imaginar que o outro lado era simplesmente um enorme barracão vazio.

— É por lá que vamos ter que entrar — disse Victor —, não há ninguém. Vamos conhecendo como é o lugar. Quem sabe encontramos até alguma coisa para nos proteger, um capacete, sei lá...

— Lógico! Imagine se encontramos um capacete... de que adiantariam as armas desses caras, certo? Um capacetão de construção para salvar nossa vida. Está certinho, você.

Victor fez um bicão com a boca e revirou os olhos. Até que eu falei:

— Mas, sabe que você tem razão? Deveríamos entrar por lá, mesmo.

— Nossa, Felipe, se você concorda comigo, para que falar daquele jeito?

— Eu não sei se isso em seus olhos é chuva ou lágrima.

— É lógico que é chuva! Eu não choro por qualquer coisa.

— Só quando Eveline disse que sua carta era boba, no terceiro ano.

— Ela ofendeu meus sentimentos! Desde então... meu coração ficou frio como o inverno russo.

Gargalhei tão alto que um guarda gritou, e consegui vê-lo correndo em direção à floresta. Eu me joguei no meio de uns arbustos. Victor fez o mesmo. Ouvi os passos do guarda, seu rádio apitou, ele atendeu e falou algo como "deve ter sido só um trovão, mas, fique de

olho. Não deixa o folgado do Cabeça dormir hoje. Podem ser amigos dos outros que pegamos".

Então, eles haviam mesmo prendido Peter, João e Mary!

Esperamos para ter certeza de que o guarda havia ido embora. Só então saímos dos arbustos. Victor comprimiu os lábios. Uma coisa era suspeitar que eles estavam presos, outra era ouvir diretamente de quem os aprisionara.

Balançamos a cabeça afirmativamente. Corremos até as árvores próximas ao barracão vazio. A construção tinha uma cara de velha, malcuidada. A tinta cinza estava toda desbotada. Só tinha janelas no alto, uns três metros de altura do chão. Algumas estavam quebradas.

Não havia ninguém por perto. Corri até lá. Devia ter pisado em umas três, quatro enormes poças de água e barro. Victor tentou abrir. Nada. Chacoalhou a porta, nada também. Tinha um cadeado enorme, da largura do meu braço, enganchado em duas hastes, para ninguém abrir.

Apontei as janelas para Victor e falei:

— Suba em meu ombro, veja o que há ali.

— Melhor você subir, acho que não vai me aguentar.

— Você não é tão pesado assim, Victor.

— Eu sei, você que é fraco mesmo.

Fiquei quieto... ele tinha razão. Ia dizer o quê?

Ele se abaixou. Coloquei o pé direito nas costas dele. Quando fui colocar o esquerdo, meu corpo vacilou e eu tombei para trás, direto em outra poça imunda de arenito. Não vi como fiquei, mas devia ter sido feio, já que Victor nem riu, só fez cara de assustado.

— Relaxe, Felipe, sua testa nem está ralada — disse, com o sorriso mais falso do mundo.

Ignorei. A adrenalina devia ter tirado um pouco da dor. Segurei nas mãos de Victor e tentei de novo. Consegui!

— Vá um pouco mais para frente, só um pouco — pedi.

— Não dá, já estou beijando a parede. Estique-se aí.

Fiquei na ponta dos pés para conseguir ver o que havia lá dentro.

— Victor! Victor! Você... você... você não acredita no que há aqui!

Não acreditei no que eu estava vendo. Por que aquilo estaria ali? Qual o sentido em manter tudo daquilo

no mesmo lugar? Será que eles... comem? Não, não é possível! Iam ficar doentes, não podia ser...

— Ei, vocês de novo, moleques!

O mesmo guarda que correra atrás de nós, no meio da floresta, apontava uma lanterna em nossa direção.

— Corra, Felipe! Corra!

Pulei das costas de Victor, que perdeu o equilíbrio e caiu de bunda no chão. Estendi a mão e o ajudei a levantar, enquanto o perseguidor se aproximava de nós, gritando para pararmos.

— Essa cara não cansa, não? Felipe, Felipe, o que há lá, Felipe?

Eu não conseguia responder; tentava manter a respiração e a velocidade, para o guarda não diminuir a distância entre nós. Porém, a imagem do que eu havia visto naquele galpão mexia demais comigo, e isso, mais o cansaço, a chuva, a fome, a simples ideia de que não fazia sentido fugir, que eu teria que entrar lá de alguma forma... deram-me vontade de simplesmente me entregar.

Era só um delírio acreditar que eu e Victor poderíamos enganar esses caras.

— Responda, Felipe! O que há lá?

— Zumbis!

— Como assim? Há zumbis lá?

— Sim! Centenas, sei lá, mil?

— Pirou??? Quem são essas pessoas?

— Eu não faço a menor ideia, Victor!

O guarda estava cada vez mais próximo.

— Ele não tem arma, Felipe...

— E daí, Victor?

— E daí que podemos cuidar dele...

— Você tem problema? Nunca!

— Podemos sim! Confie em mim! 3... 2... 1...

Victor se voltou, e como o guarda estava havia apenas uns três metros de nós, assustou-se e hesitou. Foi o suficiente para Victor o derrubar com um chute e voltar a correr.

Eu estava intacto. É... talvez pudéssemos mesmo dar um jeito de resgatar nossos amigos... Quem sabe, se Victor usasse sua força e eu minha inteligência...

Estávamos quase no fim do barracão.

— Vamos para a floresta ou tentamos invadir já? — perguntei

— Invadir! Senão, eles vão nos caçar na floresta.

Victor tinha razão. Cheguei ao fim do barracão, e em vez de seguir reto para a floresta, virei para a esquerda, para procurar uma entrada.

Foi quando dei de cara com outro guarda, com uma arma apontada para nós.

— Mãos ao alto!

HEROBRINE

A criatura havia sido expulsa do Fim do Mundo por usar a fonte que tudo via para causar o mal e destruir um helicóptero. Dessa forma, ela vagava pelo mundo, vendo a destruição que causara. Em vez de arrependimento, o que crescia nela era o ódio, por não mais poder destruir na mesma escala, por já não ser aquela poderosa e suprema criatura capaz de destruir Mine inteira com um piscar de olhos.

Ainda assim, sabia armazenar sua energia e seu poder de forma inteligente. E, para tanto, a criatura seguiu em direção ao único objetivo que ainda tinha na vida: a eliminação das quatro pestes adolescentes que a destruíram.

Sabia onde havia derrubado o helicóptero, e para lá seguiu. Mais rápido que um humano, mas não tão rápido quanto a divindade que um dia fora. Ao chegar ao helicóptero destruído, não encontrou ninguém, e vagueou pelas árvores.

A criatura ouviu um trovão estalar e um grito ecoar. Ao correr em direção ao grito, viu Peter, o responsável pelo golpe final, ser preso por outros quatro soldados.

Junto deles, João e uma menina que a criatura não soube identificar.

Comprar essa briga contra sete pessoas, no estado atual, não seria inteligente. O raio disparado no helicóptero e a caminhada para chegar até aquele local haviam-no deixado esgotado, sem forças para uma batalha grande.

Paciência. Era necessário esperar e atacar apenas com a certeza de vitória, quando a derrota não fosse sequer uma pequena possibilidade. Para isso, a criatura decidiu investigar e vasculhar toda aquela fábrica, sem ser vista, sem ser identificada, para traçar a melhor estratégia possível, a fim de eliminar todos aqueles que se opusessem a ela.

Foi então que, horas mais tarde, detectou um humano caminhando, sozinho, por entre a chuva, afastando-se daquela fábrica. Sem hesitar, tomou sua forma física e atacou o adversário com tudo o que tinha, na esperança de que fosse um dos quatro pirralhos.

Não.

Era o soldado que havia sobrevivido à queda do helicóptero.

Era.

CAPÍTULO 3

Eles vendaram a mim e a Victor. Não queriam que víssemos nada do que havia lá dentro. Mas ouvir, pelo menos, ouvíamos. Um dos guardas mandou avisar o chefe que todos haviam sido capturados. Outro perguntou se o doutor já havia recebido sua encomenda do dia. Responderam que sim.

Uma coisa boa pelo menos aconteceu: depois de horas, parou de pingar em minha cabeça. E, surpreendentemente, deram-me uma toalha — ou qualquer coisa parecida com uma toalha. Não foi muito fácil me secar de olhos vendados — e nem adiantou muito —, mas, naquela situação, estava bom demais.

Ouvi algumas vozes ao nosso redor. Eu sabia que falavam sobre nós, mas não conseguia ouvir exatamente o quê. Das poucas coisas que entendi, a mais importante foi "o chefe vai gostar disso" e "a carne está malpassada".

Não demorou muito para tirarem nossa venda, e vi que estávamos em um refeitório grande demais para as quatro pessoas que estavam ao nosso redor. Victor também parecia surpreso, mas nenhum de nós abriu a boca.

A surpresa, porém, foi ainda maior quando colocaram dois pratos de carne a nossa frente.

Arregalei os olhos.

Victor sequer perguntou; agarrou a carne com a mão e mandou para dentro.

Eu arregalei ainda mais os olhos.

Será que ele não pensou que poderia ser...

— Nossa, Felipe, está bom demais! Coma logo, senão, eu como a sua!

... carne de zumbi?

Que nojo!

Um dos guardas me deu um tapa na cabeça.

— Vai comer não, doido? Está desperdiçando comida? Não está com fome?

— Eu... estou...

— E não vai comer por quê?

— Eu... eu... não quero parecer mal-educado ou mal-agradecido... mas, é que eu vi o que há no barracão abandonado e...

— Veja isso, Valdomiro, ele acha que comemos carne de zumbi!

Todos ali — inclusive Victor — começaram a rachar de dar risada.

— Mentira, mentira, fale de novo! — provocou o tal Valdomiro —, essa eu vou ter que passar por rádio. *Aô, Cabeça, está me ouvindo? O moleque que achamos aqui não queria comer carne porque pensou que era carne de zumbi!*

A resposta do Cabeça foi:

— HAHAHAHAHAHAHAHAHAHA HAHHAHA!

De repente, Victor levantou da mesa rindo e deu um tapinha nas costas de Valdomiro.

Todos pararam de rir e agiram com tanta velocidade que eu nem entendi o que aconteceu.

— Perdeu a cabeça, moleque?

— Quem mandou você levantar?

— Está achando que isso aqui é hotel?

— Fazemos uma coisa para essas pestes não morrerem e já acham que podem tudo.

— Sente logo aí! E você, comedor de zumbi, coma logo sua carne antes que eu a tire daqui! Ande logo, que eu preciso levar vocês. O chefe está querendo bater um papo.

— Eu gosto de bater papo... — disse Victor, sorrindo, tentando concertar a burrada que havia feito.

Foi quando começaram a rir dele. Valdomiro, então, sentenciou:

— Acho que você não vai gostar muito desse...

A primeira vez que você conhece alguém como Balanar é, humm... no mínimo, inesquecível — e não por boas razões. Você tem a impressão de ver alguém que não deixa absolutamente nada escapar de seu controle. Não sei muito bem o que dava essa impressão, só sei que foi isso que senti. Digo... talvez tenha sido a roupa, o jeito de falar e andar — sempre muito mandão e com postura militar.

— Eu achei seus amiguinhos andando em minha propriedade — disse Balanar. — Odeio que andem em minha propriedade sem minha autorização. Vocês precisam entender, pivetes, que ninguém dá um passo por aqui sem que eu saiba ou mande.

Nem mesmo aquelas criaturas bizarras que vocês viram em meu depósito.

— Os zumbis? — perguntei.

— Eu mandei você falar? Responda, eu mandei você falar?

Fiquei quieto, sem reação alguma.

— Agora que eu estou mandando você falar, não fala!?

— Eu... eu... não mandou, não, Balanar.

— Senhor Balanar, para você.

— Senhor Balanar — concordei.

Victor não abriu a boca. Acho que aprendeu a ficar quieto quando riram dele. Eu deveria ter feito o mesmo.

Estávamos no escritório de Balanar, um local completamente cinza, com uma grande mesa, cadeira e armas para todos os lados. O próprio Balanar era cheio de equipamentos no corpo. Ele vestia uma roupa marrom e bege e tinha óculos, com lente laranja, no topo da cabeça. Imaginei que seria útil para visão noturna.

Quando Balanar nos encarava de cima a baixo, alguém bateu na porta.

— Pode abrir.

O sujeito devia ser médico ou cientista, já que vestia um jaleco branco.

— Senhor Balanar, preciso de um minuto para falar com o senhor.

— Alguma novidade, dr. Kim?

— Algo muito bom, senhor. Mas particular... é sobre Herobrine.

— Herobrine?! — gritei.

Balanar saltou da cadeira e foi em minha direção. Senti minhas pernas tremerem. Ele colocou seu dedo indicador na minha testa, começou a respirar cada vez mais e mais rápido.

— Eu lhe perguntei alguma coisa?

— Não, Bala... Senhor Balanar, mas...

— Mas, o quê?!

— Eu... eu...

— Eu... eu... — ele repetiu com voz de criança, como se eu não soubesse o que falava.

Foi então que Victor me deu um susto.

— Ele sabe do que está falando, Balanar! Nós lutamos contra Herobrine!

Balanar se voltou para Victor e ergueu a mão, como se fosse lhe dar um tapa. Mas abaixou-a lentamente e a passou na cabeça de Victor.

— Menino... se você estiver brincando comigo, o problema vai ser grande.

— Não, senhor Balanar — voltei a falar. — Nós realmente lutamos contra ele... algumas vezes.

— E como acha que vou acreditar em dois moleques como vocês?

Dr. Kim se aproximou de nós e cochichou algo no ouvido de Balanar, que mudou de expressão. De irritado passou a... esperançoso.

— Então, seus amigos também falaram sobre Herobrine... ou vocês combinaram essa mentira, ou realmente estão me contando a verdade.

— É claro que estamos falando a verdade! — respondi.

— Eu não seria burro de mentir para você — disse Victor.

— Estou gostando de você, moleque... — disse Balanar olhando para Victor.

— Mas ele nem o chamou de senhor! — falei.

— E eu lhe perguntei alguma coisa, de novo? Qual é seu problema, moleque?

— Não ligue, Balanar, ele tem inveja de mim... — disse Victor, sorrindo, achando-se o último diamante do planeta.

Balanar voltou para trás de sua mesa e se sentou. Ficou quase dois minutos olhando para a parede, sem falar nada. Eu que não seria bobo de interromper. Durante esse tempo, pensei o que aconteceria conosco. Eles simplesmente nos expulsariam dali? Ou nos manteriam presos? Acho que essa não era uma opção razoável, porque, mesmo presos, precisaríamos comer, e... bem, isso gera prejuízo. Ainda mais no mundo atual. Ou, então, eles nos colocariam para trabalhar, para fazer o trabalho sujo. Ou... na pior das hipóteses... nós seríamos a comida.

— Bem... pensei muito e concluí o seguinte: vocês estão mentindo para mim! Levem-nos para a cela!

Victor gritou, reclamou, tentou convencê-lo de que era tudo verdade.

Eu fiquei quieto. Não por falta de vontade de falar, mas por medo de, ainda, algo pior acontecer.

CAPÍTULO 4

A porta, mesmo desgastada, tinha um amarelo não muito comum para uma prisão. Lógico, ali não era mesmo uma cadeia, mas sim um tipo grande de cômodo onde ficaríamos presos, pelo que disseram os guardas. Não adiantaria tentar escapar. Todas as janelas haviam sido seladas, e a única porta era aquela pela qual entraríamos. Eles nos mandaram ficar em silêncio, sem muito grito, porque ninguém ali gostava de barulho; e porque poderia... animar as criaturas, segundo eles.

Na realidade, acho que os guardas disseram isso mais para nos assustar que qualquer outra coisa. Até parece que os zumbis ouviriam nossa voz mais alta que os trovões lá fora.

Ao abrir a porta, vi Peter imitando um macaco. João e Mary riam.

— Que bagunça é essa aqui? — gritou um dos guardas. — Isso aqui não é brincadeira não, seus palhaços!

— Isso! Isso! Você acertou! Eu sou um palhaço! — disse Peter, correndo em direção ao guarda e abraçando-o.

O homem ficou sem reação por alguns segundos, até empurrá-lo. — Palhaço? Isso parecia um macaco! — disse Mary.

— Você é o PIOR palhaço do mundo — completou João.

Peter deu de ombros e começou a imitar outra coisa, que poderia ser desde uma galinha doida até um professor gritando com a sala, de tanto que mexia os braços.

O guarda foi até ele, puxou-o pela gola da camiseta e o jogou na cama.

— Se eu vir você imitando qualquer coisa de novo, vai ter que imitar um guarda-chuva, porque é lá fora que vou jogá-lo!

— Nossa, para que falar assim? Eu só estava rindo um pouco, seu guarda. Seja meu amigo! — reclamou Peter.

— Seu amigo o escambau!

Peter olhou para mim, e driblando o guarda, saltou da cama e pulou em meu colo, derrubando-me.

— Felipe! Você aqui!

— Veja só, agora ele está imitando um cachorro... só falta lamber o Felipe — disse João.

O guarda bufou e saiu da prisão.

Na realidade, repito, nem dava para chamar aquilo de prisão. Era um dos ambientes menos feios daquela fábrica. Tinha uma parede branca — diferente de todo o resto, que era cinza —, camas, sofás e até aparelhos de academia — onde Victor já foi se sentando, para puxar um supino.

— Tudo bem com vocês, Felipe? — perguntou João. — Ouça... desculpe por aquela hora... eu estava um pouco... nervoso.

— Relaxe, João.

Contei para eles tudo que tinha acontecido, desde quando eu e Victor havíamos nos perdido, o que eu vira no depósito, e depois, quando Balanar duvidara de nossa palavra.

— Vou bolar um plano para nos tirar daqui — disse Mary.

— Mas, espere, como vocês foram pegos? — perguntei.

— Não vamos falar disso. Para que falar disso, não é, gente? — disse Peter, com o sorriso amarelo de quem queria evitar o assunto.

— É... um trovão estourou perto de nós — disse João.

— E Peter começou a gritar e correu para o prédio, onde havia um guarda — completou Mary.

— Meu sentido aranha me mandou para o lado errado, foi isso, gente, já falei — Peter tentou se justificar.

— Talvez isso tenha acontecido, Peter, porque você não tem um sentido aranha! — gritou Victor, enquanto puxava as barras.

João me mostrou onde ficava o banheiro e como se fazia para aquecer água, já que a energia precisava ser usada com critério. Eu precisava tomar um banho, não só porque queria, mas porque meu corpo precisava de água quente, para dar uma equilibrada com a quantidade de chuva que havia tomado.

E, talvez eu nem soubesse, mas precisava ficar um pouco sozinho, em um lugar seguro. Que ironia, não? Fui me sentir seguro dentro de uma... prisão. O pior era isso: aquele deve ter sido o momento mais seguro desde que toda aquela loucura começara. Ainda assim,

não conseguia deixar de pensar onde ele estava... o que estava fazendo, quão fraco ou forte estaria, quantas coisas mais faria contra nós ainda...

Ele... Herobrine, uma criatura que parecia não morrer nunca. Mas todas as criaturas morrem. O que eu precisava descobrir era simples: como eliminá-lo de vez. Para sempre. Seria possível? Pensar em tudo isso me fez lembrar do dr. Kim: o que será que falaria com Balanar? Ele havia dito que era sobre Herobrine.

Se ele havia descoberto algo, a menor coisa que fosse, eu precisava saber. Ele podia ser mais velho, mais experiente e mais inteligente, mas nunca enfrentara Herobrine. E isso parecia ser muito necessário para derrotar algo como ele.

É isso! Eu conversaria com o dr. Kim, nem que precisasse escapar dali por alguns minutos!

Depois de analisar tudo com muito cuidado, pude ver que, de fato, era impossível que as janelas servissem como meio de fuga. E existia uma única porta. A única chance de escapar seria atrair os guardas para dentro, fazer que os outros os enganassem enquanto eu escapasse.

Em teoria, bastante simples. Na prática... nem tanto.

Os dois guardas, Valdomiro e Cabeça, que sempre visitavam a prisão, nunca entravam juntos. Um ficava na porta, enquanto o outro checava o que quer que fosse. O desafio seria atrair o guarda da porta. Como? Uma simulação de briga? Atacar o guarda que entrasse? Não, eu não poderia colocar nenhum dos meus amigos em mais um perigo.

Foi então que contei a eles o que eu necessitava, e Mary Jane teve uma ideia brilhante.

— Eles estão vindo! — disse Victor, que espiava pelo trinco.

— Ande, Peter! — falei.

Peter começou a imitar absolutamente qualquer coisa. Mesmo se eu estivesse prestando completa atenção, não conseguiria decifrar o que era aquilo. Ele se jogou no chão e se arrastou com um braço para cima e o outro colado na cintura.

Ouvi alguém falar cobra mais de dez vezes, até a porta se abrir.

— Isso de novo? — gritou o Cabeça, correndo em direção a Peter.

— O que está acontecendo aí? — perguntou Valdomiro, colado na porta.

— Eles estão brincando de mímica... você é bom nisso? — tentei criar uma conversa com o guarda.

— Hum... até que sou.

— Duvido você e o Cabeça ganharem de nós.

— Até parece, moleque, não brinco disso, não!

— Isso é medo de perder? — gritou Victor, do outro lado da sala.

— Está ouvindo isso, Cabeça? Esses pirralhos estão duvidando que ganhamos deles...

Valdomiro deu dois passos para dentro da prisão. Só mais dois e eu conseguiria escapar. Vamos, Cabeça! Vamos!

— Vocês estão de palhaçada com a minha cara?

Cabeça estava realmente irritado. Valdomiro deu mais um passo em sua direção, com as mãos erguidas, como se pedisse calma. Mais um. É agora!

— Calma o quê? Esses moleques estão achando que isso aqui é passatempo? O chefe tem que decidir o que vai fazer com eles logo, porque eu estou de saco cheio de ficar vigiando essas crianças!

Cheguei à porta.

Não!

— Se tem alguma reclamação, Cabeça, da próxima vez fale na minha frente — sentenciou Balanar, que me olhava de cima, como se soubesse exatamente o que eu pretendia fazer.

Ele sabia. Eu sabia que ele sabia. Mas ninguém disse nada. Não era necessário. Voltei para dentro do quarto, enquanto observava os dois guardas tremendo de medo. Cabeça gaguejava e não conseguia sequer pedir desculpas.

— Não fale nada. Suma daqui e não me apareça até amanhã.

Cabeça balançou seu gigantesco crânio careca — por isso o apelido — e saiu da prisão olhando para baixo, sem encarar ninguém. Valdomiro olhou para Balanar, que mandou que fizesse o mesmo.

Éramos só nós cinco e Balanar, sem nenhum segurança — só então notei —, sem nenhum equipamento em sua roupa. Ainda assim, mesmo sem nunca o ter visto lutar, eu não tive a menor coragem de pensar em iniciar uma ameaça ou uma fuga.

— Sabem que ele tem razão? — disse Balanar.

Ninguém teve a audácia de responder.

— Cabeça... tem razão. Não sei o que vou fazer com vocês. Sabe o soldado que os acompanhava no helicóptero?

Meu Deus... eu nem me lembrava dele. O que teria acontecido? Será que o que acontecera com ele aconteceria conosco?

— Eu o liberei para voltar ao governo. Não sei se vai chegar, e, honestamente, não me importo. Mas,

não sei se faço o mesmo com vocês. Ele, pelo menos, tinha utilidade…

Balanar ficou alguns segundos em silêncio.

— Digam, caçadores do Herobrine, o que eu faço com vocês?

— Deixe-nos aqui, estou feliz aqui, tranquilo, comendo, divertindo-me e *talz* — disse Peter, o primeiro a se manifestar.

E, curiosamente, isso foi bom. Porque, depois dele, ninguém poderia dizer uma bobeira maior. O fato de Peter falar uma asneira tão grande diminuía o peso de um dos nós falar alguma besteira.

— Humm… deixar vocês aqui… sem trabalhar, sem ajudar em nada? — perguntou Balanar.

— Isso! Exatamente isso! Você entende muito rápido as coisas, Balanar! — respondeu Peter.

— Você — Balanar apontou para Victor —, fecha a boca dessa farsa de Homem-Aranha antes que eu o jogue em meu depósito!

— Que é isso, seu Balanar? Eu só estou…

Antes que Peter pudesse falar qualquer outra coisa, Victor fechou-lhe a boca e sussurrou algo, que fez os olhos do falastrão se abrirem mais que as teias do Homem-Aranha.

— A sorte de vocês é que estou de muito bom humor hoje; tive excelentes notícias do dr. Kim…

Eu ergui os braços.

— O que é isso? Você quer falar? Como é seu nome mesmo?

— Meu nome é Felipe, senhor Balanar. Eu não quero abusar da sua paciência... mas, gostaria de discutir um assunto com o senhor.

— Pode falar.

O silêncio de todos os outros foi tão grande que parecia que só eu e Balanar estávamos no cômodo. Respirei fundo. Essa era a melhor — ou, repetindo, a única — alternativa que eu teria para salvar todos.

— Eu sei que, no momento, o senhor não acredita. Mas, nós lutamos contra o Herobrine.

— Ah, pirralho, é isso? Não vou perder meu bom humor e nem meu tempo.

Balanar virou as costas para nós.

— Não! Não! Não! Você vai me ouvir!

Ele se voltou com um olhar tão pesado e os punhos tão fechados que achei que fosse explodir.

— Felipe... — sussurrou João.

— Quieto, João! E você, Balanar, vai me ouvir, ou vai perder a melhor oportunidade de sua vida! Nós lutamos com Herobrine. Algumas vezes já! Foi ele que derrubou nosso helicóptero. Nós achávamos que o havíamos eliminado. Peter deu o golpe final. Mas, de algum jeito, ele escapou e está em algum lugar, fortalecendo-se de

novo. Precisamos de você, e você vai precisar de nós. Então, pare com isso e vamos juntar forças!

— Há algo que precisa ser reconhecido, Felipe. Sua coragem. Não esperava isso de você. A questão, seu pirralho, é que coragem na hora errada tem outro nome: burrice! Você não vai aprender a falar comigo porque não terá outra chance. Despeça-se dos seus amigos, você não vai ficar aqui.

Todos perderam o controle, começaram a gritar. Eram tantas vozes ao mesmo tempo que eu só era capaz de ouvir uma: a do meu pensamento. Eu sabia que havia feito besteira. Caminhei até a cama, peguei as poucas coisas que tinha, os poucos ingredientes, minha espada e fui até a porta.

— Onde você vai com essa espada? — perguntou Balanar — Ela é minha. Tudo que era seu é meu. Você foi prisioneiro aqui, não hóspede.

— Senhor Balanar, sem a espada, ele vai… — protestou João.

— Não fale como se isso fosse problema meu — retrucou o líder daquele lugar.

HEROBRINE

Depois de muito rondar pela fábrica e seus arredores, a criatura decidiu quais passos seguiria a fim de se vingar daqueles que a haviam retirado de seu trono. Não esperaria sequer um dia, agiria de imediato.

Toda paciência em excesso era erro. O simples ato de esperar, de dominar aos poucos, não servira de nada. Durante anos, ela construía aos poucos seu império. E para quê? Para ver quatro adolescentes modorrentos, numa armadilha tosca, destruírem tudo. Para ver, mais uma vez, aquele insolente do seu irmão, Steve.

Ao vê-lo, a criatura perdeu todo o senso de lógica e raciocínio, entregou-se apenas ao ódio. E dera no que dera. Vencera, mas fora derrotada. E só então entendera que vencer uma luta não significa, de modo algum, vencer a guerra. Por isso, o caminho para a vitória não era nem a paciência extrema, nem a pressa exagerada. Era o golpe fatal, efetivo.

A chance para tal golpe podia, sim, demorar, mas, quando surgisse, precisaria ser dado rápido. Sem frescura. Essa era a mente da criatura. E sua mente dizia que atacar nesse dia era a chance de um ataque efetivo.

Ninguém esperaria.

Primeiro, porque a criatura já atacara o helicóptero. Segundo, porque depois de os guardas da fábrica prenderem os moleques, ninguém esperava outro ataque. Estariam todos de guarda baixa, sem preparo.

Essa era, sem dúvida, sua melhor chance.

CAPÍTULO 5

Eles sequer fizeram questão de me vendar; sabiam que eu jamais voltaria. Primeiro, pela quantidade de ameaças que fizeram. Segundo, pelo conteúdo dessas ameaças... fazia parecer que encontrar zumbis no parque seria um piquenique.

Enquanto eu era escoltado para fora por Valdomiro e Cabeça, o primeiro deles me entregou um pedaço de pão e uma lanterna, sem que ninguém visse. Cerrou os lábios e balançou a cabeça, desejando-me força.

O barracão em que Balanar ficava era a parte do escritório da antiga fábrica; eram várias salas separadas, lugares para reunião e mesas para funcionários. Descobri que ali se fabricavam sapatos. Não que isso fosse muito útil...

Ao chegar à porta, Cabeça esperou na parte de dentro, enquanto Valdomiro me acompanhou alguns metros adiante.

— Não vá muito longe hoje — disse —, vai demorar algumas horas para amanhecer. Se você andar uns cem metros em linha reta, vai encontrar tipo uma cabaninha. Nós ficávamos lá de vigia quando tínhamos mais homens. Durma lá hoje, e amanhã resolva sua vida...

— Obrigado, Valdomiro. Por que está sendo tão legal comigo?

Ele abriu um pequeno sorriso, bateu nos meus ombros e respondeu que tinha um filho da minha idade. Zeca, o nome dele. Parecia que ia falar mais, até que Cabeça gritou para que andasse logo.

Foi assim que acreditei ter visto pela última vez as costas de uma pessoa caminhando para dentro de um prédio, enquanto eu era deixado do lado de fora, na chuva.

Não quero parecer reclamão, mas quando Valdomiro falou em cabana, achei que pelo menos teria um teto. Na realidade, era só uma rede fixada em duas árvores, com umas folhas enormes que cobriam metade do corpo. Ou chovia na cabeça ou chovia nos pés.

Estranhamente, ri com aquilo.

Tentei fingir que estava em um dos acampamentos que fazíamos na escola. A diferença é que neles não chovia, eu não estava sozinho e o mundo não tinha... ah, Felipe, pare de pensar nas diferenças! Não dizem que precisamos pensar positivamente? Então...

As semelhanças: eu estava dormindo em uma rede, com um medo consideravelmente grande — apesar de não ter revelado isso a ninguém —, e rodeado de ingredientes para possíveis poções. Era isso! Ia pensar nas coisas que poderia criar por ali.

Quem sabe, se eu fizesse uma poção de vitalidade, não me sentiria melhor? Ou uma de agilidade, para me deixar mais ligado e rápido? Veja só... foi só pensar em coisa boa que a chuva parou.

O que mais aconteceria de bom?

...

...

...

Acho que criar expectativa não é a melhor das opções...

O que João, Peter, Victor e Mary estariam fazendo? Estariam jogando mímica? Achava que não... Deviam estar pelo menos um pouco tristes pelo que acontecera comigo. Aliás... esse Balanar, pelo amor de Notch! O cara era estressado demais. Não aceitava que ninguém o contrariasse. Gente assim era muito difícil de lidar, que doideira...

Enfim, deixei para lá. Ia tentar pegar no sono. Era a melhor coisa a fazer. O dia seguinte seria longo, e eu não queria — e nem ia! — pensar em tudo que estava acontecendo, em como sobreviveria a partir dali... sozinho.

Senti meus olhos se fecharem, o raciocínio começar a ficar leve, o corpo parecer flutuar... esquisito, mas sentia que teria um sono leve, algo confortável...

Eu sabia que estava sonhando pelo simples fato de estar voando. O mais estranho, porém, era voar sobre meu próprio corpo, na realidade. Eu podia, por exemplo, me ver dormindo e... nossa, espere, eu dormia de boca aberta? Nossa, que coisa feia! Ei... o que era aquilo? Era baba escorrendo em meu queixo?

Preferi voar mais alto para não precisar ver quão esquisito eu era dormindo. Pude observar toda a imensidão da floresta, e pensei, por que não, se aquela fosse a floresta de verdade, eu já poderia até traçar um caminho para mim, não? Foi então que decidi sobrevoar um pouco daquela área e, ao longe, vi uma pequena luz azul piscando, tal como um vagalume, acendendo e apagando.

Voei em sua direção e percebi que a cada metro que me aproximava daquela pequena luz, mais a escuridão ao redor crescia. Parecia que a luz se distanciava quilômetros e todas as sombras cresciam para fora delas mesmas.

Decidi continuar; afinal, era um sonho. Que tipo de mal poderia me acontecer? Não demorou nada. Na realidade, foi no mesmo instante: lembrei que, apesar de estar em um sonho, o medo era um sentimento real, e foi isso que comecei a sentir.

Cada vez mais próximo, consegui ver que não se tratava de uma pequena luz, mas sim de dois pequenos círculos brilhantes, e a cada momento aumentava a certeza de que aquilo eram dois olhos.

E se eram dois olhos... apenas uma única criatura seria capaz de tê-los.

De repente, o brilho se apagou... para reaparecer a dois centímetros do meu rosto!

Senti meu corpo amolecer e percebi que ia cair. Não antes de ver os dois olhos brilhantes... sorrirem.

— Felipe?

Não acredito que agora vou sonhar com Peter gritando meu nome...

— Felipe?

João também?

— Felipeeee?

Ah não, Victor neste sonho também, não.

— Felipe, querido, cadê você?

Até Mary Jane?!

De repente, abri os olhos. Não era um sonho!

— Ei, ei, ei, estou aqui! Estou aqui!

Acendi a lanterna que Valdomiro me dera e logo ouvi os gritos dos que me acharam. Os quatro chegaram de lugares diferentes. Eles haviam se separado para me encontrar. Senti um negócio estranho no nariz e, do nada, sem aviso nenhum, comecei a chorar.

"O que é isso, rapaz?" Eu nem sabia que estava me sentindo assim. Dizia para mim mesmo, em pensamento, para parar, mas não conseguia. Abracei todos e balbuciei alguma coisa como "Obrigado", mas não foi bem isso que eles entenderam…

— Otrimano? — perguntou Peter. — O que é isso?

— Deve ser obrigado — respondeu Mary.

Eu concordei com a cabeça.

— Impossível adivinhar… — Peter falou.

— Falou o palhaço que mais parece um macaco — retrucou Victor.

Ah, meu Deus! Eram eles mesmos... brigando o tempo todo! Ei, mas, espere...

— Como vocês escaparam de lá?

— Então, Felipe, essa é a parte ruim e a parte que faz que precisemos correr...

João parecia uma mistura de calmo e desesperado; sua voz era pacífica, mas ele não parava de olhar para os lados, de mexer a cabeça procurando algo.

— Herobrine invadiu a base, libertou os zumbis e atacou vários guardas de Balanar. Ele está lá tentando segurar os zumbis.

Olhei nos olhos de um por um, como se perguntasse o que eles estavam fazendo ali. Peguei minhas coisas, abri os braços e corri em direção ao barracão.

— O que você está fazendo, doido? — Victor parecia não entender absolutamente nada.

— Precisamos salvar Balanar!

Corri sem olhar para trás, com a certeza de que eles estavam atrás de mim.

Ali entendi que amigos de verdade nunca abandonam uns aos outros.

E era isso que Balanar mais necessitava: um amigo de verdade.

Mais rápido que nunca corri pela floresta, evitando as poças, os buracos e as raízes das árvores. Passei por alguns zumbis no caminho, mas nenhum foi em minha direção. Ouvi os gritos de Victor e Peter eliminando as criaturas enquanto me seguiam.

Ao chegar ao barracão, um bolo gigantesco de zumbis tentava entrar pela porta. Era questão de tempo até que a derrubassem.

— Por aqui, Felipe! — João puxou meu braço —, nós saímos por outro lugar!

Eles correram até um monte de grama, alguns metros afastado do prédio. Eliminaram alguns zumbis, enquanto eu tentava entender o que estava acontecendo. Foi então que Mary puxou um pedaço de grama falso, que dava para um buraco, que, imagino eu, levava para o barracão.

— Valdomiro nos contou desse lugar — disse ela.

Esse Valdomiro era demais mesmo!

Andamos pelo túnel de terra, úmido e pegajoso. Lembrava um pouco a mina em que havíamos descoberto Herobrine, que visitamos com a escola. Parecia fazer tanto tempo que eu tinha a impressão de que havia sido em outra vida...

— Ué, como assim?

— Essa foi a cara que fizemos... — disse João, com um sorriso curto.

— Meu sentido aranha bem que havia me alertado de algo errado neste quarto, só não falei para vocês porque me achariam bobo... — comentou Peter.

A passagem secreta dava exatamente na... prisão, onde ficava a cama de Victor.

Peguei o resto das minhas coisas que estavam ali, assim como minha espada, e corri, para começarmos a procurar Balanar.

Apesar dos nossos gritos, não ouvíamos nenhuma resposta.

— Será que ele já foi? — perguntei.

Ninguém soube responder. Os zumbis ainda não haviam invadido o prédio. Decidimos continuar procurando, até que demos de cara com Cabeça e Valdomiro pegando e municiando seus equipamentos.

— Aonde vocês vão? — perguntei.

— Seguir Balanar — respondeu Cabeça.

Valdomiro parecia aflito demais para falar qualquer coisa.

— E onde ele está?

— No escritório, preparando-se.

— Preparando-se para cair fora? — perguntou Victor.

Valdomiro e Cabeça se olharam.

— Esperem... o que ele está pensando em fazer? — João nem piscava.

Mais uma vez, Valdomiro e Cabeça se olharam.

— Ele não vai fugir? — perguntei.

Pela terceira vez, os dois simplesmente se olharam.

— Vocês podem parar com isso e responder?! Valdomiro?!

— Felipe... ele vai lutar... contra todos os zumbis.

— Santa Aranha! — gritou Peter, e colocou as mãos na cabeça — Ele nunca assistiu a *The Walking Dead*, não? Quando há tanto zumbi assim, tem que fugir. E só!

Valdomiro comprimiu os lábios e deu de ombros. Eles pegaram suas armas e saíram. Eu fui atrás.

— Vocês precisam convencê-lo do contrário! Ei, ei, ei, estou falando com vocês!

Valdomiro parou, abaixou-se e colocou a mão em minha cabeça.

— Menino, vá embora. A coisa ficou feia aqui. Vocês são jovens ainda, conseguem se virar. Não tentem entender o que está acontecendo aqui. Balanar salvou nossa vida várias e várias vezes, deu-nos segurança, comida e um lugar para dormir. Devemos tudo a ele. Se Balanar diz que faremos isso, é porque faremos isso. Sem discutir, sem titubear. Não se intrometa, menino.

Valdomiro respirou fundo e voltou a caminhar. Vi-o se distanciar de mim, apresentar-se na porta do escritório de Balanar, dizer "Sim, senhor" e caminhar em direção aos zumbis.

— Sigam Valdomiro. Não fiquem em perigo, mas ajudem no que eles precisarem — disse eu para todos.

João se aproximou e perguntou:

— O que você vai fazer?

— Vou falar com Balanar, de novo.

— Você... tem certeza?

Concordei com a cabeça.

João me deu mais um voto de confiança, chamou todos os outros e seguiu em frente. Mary olhou para trás e me disse "Você consegue!". Sim, eu consigo. Eu consigo!

Caminhei até a porta; estava aberta.

Balanar estava de costas para mim. Respirei fundo. Não adiantava muito pensar no que dizer, a conversa com Balanar sempre seguia rumo próprio; não adiantava a pessoa se preparar. A melhor preparação era a confiança.

Estufei o peito.

— Balanar!

— Você... — respondeu ele sem virar a cadeira. — O que faz aqui?

— Voltei. Eu soube do que aconteceu e voltei.

— Voltou por quê?

— Pra ajudá-lo.

— E como você vai fazer isso? Com suas poções de estudante?

— Colocando bom senso na sua cabeça, é assim que eu vou ajudá-lo.

Lento, como se tivesse todo o tempo do mundo, ele virou sua cadeira e pude vê-lo de olhos fechados.

— Pode tentar.

Uau... eu não esperava por isso, esperava um xingamento, um grito, um empurrão, mas não isso. Foi como falei: não se podia esperar ou prever nada de uma conversa com Balanar. Era preciso manter a confiança. Respirei fundo, mais uma vez.

— É hora de fugir, não de confrontar. Tenho certeza de que você acredita em mim depois do que aconteceu. Acredita que já lutamos contra Herobrine. Não cometa o mesmo erro no mesmo dia.

— E que erro seria esse?

— O de não confiar em mim, Balanar.

Esperei alguma reação dele, que permaneceu com os olhos fechados.

— Não faça que seus guardas entrem em uma batalha já perdida, sem propósito nenhum. Eles lhe devem a vida e vão fazer qualquer coisa por você, isso está bem claro. Mas, será que você não pode fazer o óbvio por eles? E o óbvio é... fugir.

— Eu nunca fugi na vida.

— Você nunca esteve cercado por centenas de zumbis, sem escapatória alguma.

Ele abriu os olhos, mas não olhou para mim.

— E o que você faria, Felipe?

— Com certeza você ou o dr. Kim conhecem algum lugar onde possamos ficar por um tempo. E

depois, podemos pensar na estratégia para acabar com Herobrine de uma vez por todas.

— Não sei.

— O quê?

— Minha família construiu esta fábrica... todos eles trabalhavam aqui. Não é tão simples ir embora.

— Não, não é. Foi assim quando vi um buraco imenso no lugar onde um dia foi minha casa.

Pela primeira vez em toda a conversa Balanar me olhou nos olhos, e entendi um pouco do que ele sentia. Assim como, acredito, ele entendeu um pouco do que eu sentia.

— Chame os homens de volta, mande-os empacotarem tudo que conseguirem. Roupas, equipamentos, comida. Peguem tudo que acharem necessário. Vou atrás de dr. Kim e suas pesquisas. Encontramo-nos em vinte minutos aqui.

— Você não vai se arrepender, Balanar.

— Eu nunca me arrependo de nada.

— Homens, hoje é o fim de uma história. Balanar falava para nós e todos os seus vinte guardas — ...mas o início de outra. A tragédia que um dia ou outro aconteceria vai nos dar oportunidade de iniciar algo novo, uma busca implacável por justiça. E quando então a encontrarmos, poderemos tentar, aos poucos, iniciar um novo livro, com uma história muito mais tranquila, bonita e carinhosa. Não se percam de vista, não saiam sozinhos, não deem uma de louco, não sejam burros! Fiquem juntos e juntos viveremos!

Estávamos na prisão, Balanar em cima de uma das camas. Ele discursava como um daqueles bons políticos que falam o que as pessoas querem e precisam ouvir. Encarregou Valdomiro e Cabeça da segurança do dr. Kim, assim como de seus ingredientes. Os demais seriam responsáveis uns pelos outros.

Balanar desceu e foi o primeiro a entrar na passagem. Não ouvi um pio sequer até chegarmos ao final do caminho. Balanar mirou sua lanterna para seu rosto, uma imagem um tanto quanto assustadora.

— Fiquem juntos! E sigam-me!

Ele abriu a grama falsa e o barulho dos zumbis invadiu nossos ouvidos. Pude ver, mesmo no escuro, a expressão, o corpo de todos, inconstante, trêmulo, amedrontado.

— Com medo, sem vitória! Sem medo, com vitória! — gritou Balanar, antes de saltar para o lado externo, seguido por todos os outros guardas, que gritavam e atiravam e gargalhavam alto.

Nós ficamos por último, exigência de Valdomiro.

— Eu... eu... eu... posso ficar por aqui? — disse Peter.

— Nãããããããão, isso de novo não! Achei que já havia passado essa fase, medroso! — respondeu Victor.

— Veja, até que fiquei com saudade desse Peter chorão — confessou João, em meio aos risos.

— Eu ten...ten....tei me segurar... por ca...ca... causa da Mary, ma...a...a...as não deu... — revelou Peter, gaguejando.

— Ah, que fofo! Relaxe que eu cuido de você, lindo!

Mary não tinha o menor indício de medo na voz; parecia mesmo pronta para aquilo. Até porque não devia ter entrado para o exército por nada. Qual seria sua habilidade?

— Calma, queridos, não precisam ficar desse jeito, vocês já vão descobrir do que eu sou capaz!

Fiquei por último para subir. Ouvi gritos, tiros e urros de zumbis; foi impossível não pensar nas dezenas de filmes de guerra que assistira. A impressão era de que eu estava em uma trincheira, pronto para colocar minha vida nas mãos da sorte.

Subi o primeiro degrau, quando um zumbi despencou em cima de mim, derrubando-me da escada. Ele ainda estava vivo! Com toda minha força, afastei sua cabeça fedorenta da minha, até que ele foi expulso de cima de mim por Mary, que o agarrou e o jogou-o longe, para depois usar sua faca e eliminar aquela criatura.

— Você está bem? — perguntou Mary, estendendo a mão. — Vamos! Ninguém vai ficar esperando por você, não!

Subi as escadas, e diferente do que havia pensado, não consegui analisar tudo que estava acontecendo, entender a estratégia — se é que existia uma — ou ter dimensão da quantidade de zumbis e do perigo da situação.

Isso porque tudo acontecia rápido demais. De repente, um saltou em minha direção; precisei me jogar no chão, escapar de outro que caminhava para cima de mim. Logo depois, corri para empurrar e salvar Peter, que se levantou e foi salvo, novamente, por Mary, que jogou minha espada — que eu nem percebera que havia deixado cair. Peguei o equipamento e comecei a ser um pouco mais útil para todos os meus companheiros, que, aos poucos, se afastavam do barracão. Éramos umas vinte e cinco pessoas, em uma esquisita, incompreensível e louca sintonia. Um ajudava o outro.

De longe, vi Balanar liderando a todos e salvando, de uma só vez, quatro colegas da emboscada involuntária que os zumbis armaram cercando-os. Ele resgatou homem por homem, enquanto se colocava em perigo — algo que parecia, de forma alguma, não lhe importar.

Era inspirador o suficiente para me fazer jogar todo o medo e covardia para longe a fim de salvar e ajudar quantos eu pudesse. Ataquei de um lado, ataquei de outro, esquivei de duas mordidas com um bafo destruidor — que falta fazia uma boa escova de dente para esses zumbis!

— Estamos conseguindo! — gritou Balanar.

Todos gritaram em comemoração, sem deixar de lutar.

Já estávamos dentro da floresta, o que tornava tudo ainda mais perigoso. Não dava para prever se atrás de alguma árvore existiria ou não um zumbi pronto para devorar nosso cérebro. Ou até afogado em uma das poças, pronto para puxar nosso pé.

Entretanto, na mesma proporção que cresciam a tensão e o perigo, crescia a certeza de que tínhamos um líder, força e determinação para sair dali todos salvos. Eu sei, eu sei... parece um sentimento contraditório, mas, eu não escolhi sentir isso.

Foi então que, atrás de nós, no meio da floresta, um grande brilho azul surgiu, iluminando todas as plantas e seres. Os pássaros fugiram das árvores, os animais saíram de seus esconderijos e o pavor escapou de nossos olhos.

Por outro lado, os zumbis urravam como o bando de criaturas insanas que eram.

Não havia dúvida… era ele.
Só ele era capaz daquilo.
Herobrine.

— Corram! — gritou Balanar, enquanto partia para cima de Herobrine.

— Balanar, não, não!

Tentei avisá-lo, mas estávamos longe demais para que ele me ouvisse.

De novo, só existia uma opção: correr. Mas não com os outros, para fugir. Correr em direção a Balanar!

Mary, que me ajudava a cuidar de uma horda, não precisou falar nada, apenas concordou com os olhos. E como estava tão claro quanto o dia — em vez de amarelo, o tom era azul —, era possível ver a expressão de todos. E nela só restava o medo.

Victor, João e Peter seguiram Mary e eu.

Passei por um barranco, desviei de duas poças e algumas árvores, até dar de frente com a luz. Precisei tapar os olhos, e ainda assim, a claridade incomodava. Melhor, então, mantê-los abertos, para não ser pego de surpresa por nada ou ninguém.

Cheguei à clareira onde Herobrine estava, um lugar extenso, com árvores apenas ao redor. Talvez chegasse a cem metros, de tão grande. No centro, a luz diminuía pouco a pouco. A fisionomia de Herobrine ficava cada vez mais nítida. Diferente da criatura humana, de olhos brilhosos, ele estava completamente preto. Mas não era uma roupa; parecia ser um tipo de carcaça, algo borrachento. No fundo de seus olhos azuis residia um pequeno brilho roxo, que me assustou para caramba.

Havia algo diferente nele; não era a criatura divina de antigamente. Não era o rei que se sentava no trono. Tinha muito mais cara e jeito e forma e força de carrasco, daqueles que, não importava como, dariam um jeito na situação.

Comecei a entender que aquele ser não mais buscava glória, apenas vingança.

E nós éramos seu alvo.

Balanar estava bem na minha frente, segurando duas espadas longas, que tremiam em suas mãos. Batia o pé direito na grama; parecia não só assustado, mas também ansioso. Foi então que falou:

— Se vocês realmente lutaram contra tal criatura, essa é a hora, moleques.

Ele olhou para trás, procurando certeza em nós. Concordei com a cabeça.

— Os outros soldados já se juntarão a nós.

— Você os mandou fugir... — falei, sem entender o que estava acontecendo.

Foi então que, ao redor de toda a clareira, cercando Herobrine, vi lanternas se acendendo. Todos estavam ali, em volta da criatura causadora de tudo o que havia acontecido.

— Nem que eu mandasse eles me abandonariam — disse Balanar, e abriu um pequeno sorriso.

Ergueu os braços, numa contagem regressiva, e ao chegar ao número três, abaixou-os.

A ordem foi dada.

Todos partiram para cima da criatura.

De repente, toda a luz se apagou e foi possível ouvir suspiros de todos. O que era claro tornou-se escuro; o que era alvo certo, tornou-se indecifrável. E ali aguardamos, primeiro durante alguns segundos, segurando a espada tão firme que as mãos chegavam, a doer, atentos a qualquer barulho; até uma respiração mais forte era motivo de preocupação.

Nada aconteceu.

Nem um barulho; nem os animais emitiam sons.

Depois, o primeiro minuto. O segundo e o terceiro, até que começou a ficar claro para todos.

Herobrine havia fugido.

Isso significa que ele está mais vulnerável que nunca. Consequentemente, mais perigoso que nunca.

HEROBRINE

Ao perceber que estava cercada por tantos homens, a criatura relutou com todas as forças. Disse a si mesma que ela nunca se renderia! Disse a si mesma que jamais fugiria! Disse a si mesma que não importava quantos homens estivessem ali, ela os enfrentaria. Pois o que eram meros mortais diante de toda sua glória e resplendor?

E então, uma vez mais, lembrou-se de seu irmão. De Steve. De quantas vezes fora derrotado por ele quando eram crianças, apenas por não saber montar a melhor estratégia, por não ser capaz de olhar o todo e analisar friamente quais eram suas chances de vencer.

Partir para cima é uma grande qualidade. Partir para cima quando as chances de vitória são mínimas, não. É tolice. Foi então que a criatura percebeu que havia mudado. Não só em sua força, não só em sua glória e poder.

Não havia só deixado de ser ultrapoderosa. Havia deixado de ser descuidada e tola. Preferiu olhar no rosto de cada um daqueles homens, guardá-los muito bem em sua memória e... fugir.

Sorriu ao entender que, sim, havia perdido aquela batalha. E não havia nada demais nisso, pois a guerra ainda seria longa.

CAPÍTULO 8

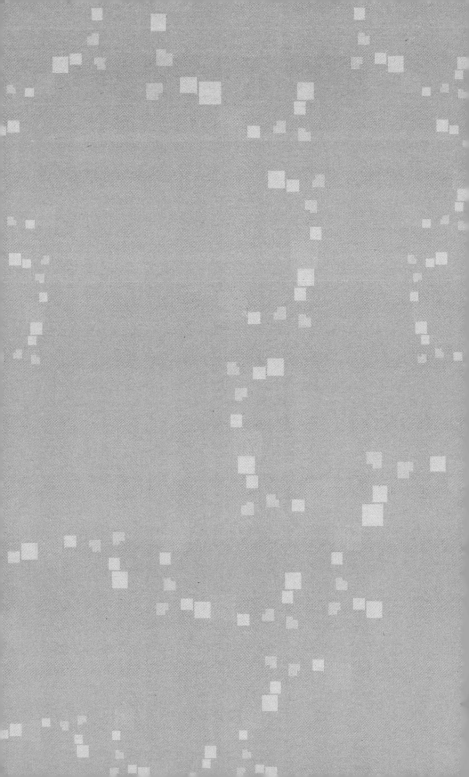

Depois de andar por três horas seguidas, Balanar sinalizou que podíamos parar. Só deixei meu corpo cair na grama e apaguei.

Pareceu um piscar de olhos quando me acordaram cedo no outro dia. João disse que eu havia dormido por seis horas. O único. Todos os outros precisaram dividir tarefas. Vigia, caça, fogueira e outras atividades.

— Acho que Balanar ficou com peso na consciência por tê-lo expulsado ontem e o deixou livre por hoje... — disse João.

— Não é justo, não! Eu precisei dar uma de Jason Brody e ir atrás de madeira...

— Jason Brody? — perguntou Victor.

— Far Cry — respondeu Mary. — Você joga videogame ou não?

— Ninguém joga videogame no momento, não é, querida — retrucou Victor.

— Ei, não fale com ela assim não, rapaz! — Peter se levantou e foi peitar Victor, que não baixou a guarda.

— Muito fofo de sua parte, Peter, mas eu sei me defender. Acho que você viu muito bem isso ontem, né, quando eu salvei sua vida umas noventa e nove vezes...

— Nossa, Mary, não precisa humilhar, também...

Peter foi para o seu canto e baixou a cabeça.

O lugar onde Balanar permitiu que parássemos era muito parecido ao local onde havíamos enfrentado Herobrine. Uma clareira extensa, lisa, sem árvores, mas muito menor que a outra. Por isso, as vinte e cinco pessoas estavam meio apertadas; mas felizes.

De longe, vi Valdomiro fazendo uma imitação de alguma coisa para os outros guardas. Demorei para entender que eles estavam jogando mímica. Quando percebi, apontei, e todo o mundo deu risada.

— Estão rindo de quê? — perguntou Balanar, dando um susto em mim, e pelas reações de gritos e postura arrumada, no resto do grupo.

— Dos guardas brincando de mímica... — falei.

— Aprenderam com vocês — respondeu Balanar. — Dormiu bem, Felipe?

— Muito!

— Que bom... hoje você faz o turno completo e fica responsável pela caça de toda a comida, beleza?

— Eu, eu, eu, por quê?

— Vixi... — disse Victor, entre risos.

— Alguém foi humilhado junto comigo — comemorou Peter, que chegou até a erguer os braços e dar pulinhos esquisitos.

— Eu ajudo você, Felipe — comentou João, sussurrando.

— Não quis dormir a noite toda? — disse Balanar. — Então, precisa compensar. Vocês todos fazem parte de nossa família agora. E isso tem lados positivos e negativos.

— Owwnn, obrigado, Balanar, vou adorar ser da sua família! — comemorou Peter de novo, do mesmo jeito.

Balanar se restringiu a fazer uma cara feia, que fez Peter parar na mesma hora.

— É justo — respondi.

Balanar virou as costas e saiu. Permaneci parado, digerindo tudo que ia ter que fazer. Então, percebi que Balanar havia parado. Ele se voltou, abriu os braços em minha direção e perguntou:

— Está esperando o quê? O povo está com fome!

Com a ajuda de João, Victor, Peter e Mary, consegui cumprir todas as tarefas que Balanar me dera, desde a caça até o armazenamento de água, comida e madeira. O mais estranho é que foi divertido, assim como os poucos minutos tranquilos que havíamos tido na prisão.

Peter fez escândalo quando Victor o jogou num riacho; Mary deu risada, mergulhou e voltou com um peixe em cada mão. João aproveitou o tempo para coletar frutas e plantas medicinais. Victor ajudou — e muito — a carregar madeira. E, eu, além de todas as tarefas, tentei juntar alguns ingredientes para minhas poções.

Imaginava que, com o que tinha, conseguiria fazer uma explosão. Nunca tentara essa fórmula, mas, pelo que estudara na escola, achava que poderia conseguir. Uma planta inflamável, bastante rara, era a base para a

experiência. Consegui também uma poção de névoa, e junto com as plantas que João encontrara, achava que conseguiria fazer alguma coisa para aumentar nossa agilidade.

Balanar deu o dia de folga para todo o resto dos guardas. Ele tentaria entrar em contato com seu colega e líder do Setor 1976, para saber como estava a situação, se seríamos bem recebidos, a fim de não fazermos uma viagem à toa.

Dr. Kim foi o único que não parecia relaxado em momento algum. Ele, com certeza, devia saber algo de que não fazíamos ideia, pois até Balanar se divertia em uma aposta com arco e flecha, que, obviamente, ele acabou ganhando, por acertar o alvo mais longe.

Eu ainda não havia conseguido privacidade e tempo para conversar com o doutor, mas sabia que precisava fazer isso o mais rápido possível. Ficara óbvio para todos que Herobrine não era o mesmo de antes. Ainda assim, não sabíamos se era possível eliminá-lo como a qualquer outro ser vivo.

Eu tinha minhas teorias, e apostava que não, que não seria tão fácil nos livrarmos dele.

Quando voltei para o acampamento carregando o último balde de água, Valdomiro me chamou a um canto e perguntou se eu conseguiria criar uma poção secreta para ele. Dei risada com a ideia e topei. Juntos, fomos à caça das plantas necessárias.

Assim que ele encontrou a planta, precisei envolvê-la em um saco, para não contaminar nenhum de nós dois. Levei até meus equipamentos, e com a ajuda de uma coisinha ou outra, e do solvente universal, a água, consegui criar nossa incrível experiência!

Chamei todos os meus amigos, que perguntaram o que eu estava fazendo. Entreguei o experimento a Valdomiro e falei.

— Calma, vocês já vão saber.

Valdomiro se aproximou dos guardas, que estavam sentados em volta de uma fogueira. Ele sentou do lado do Cabeça, que falava sobre um produto que ele usava para tentar fazer crescer cabelo.

— Pelo visto, não funcionou, né, Cabeção — disse Valdomiro, que fingiu dar um tapinha nos ombros do Cabeça, quando, na realidade, estava ativando nosso experimento.

Quase na mesma hora, um cheiro daqueles de fazer doer a barriga tomou conta do local.

— Meu Deus do céu, Cabeça! O que é isso! Tenha a decência de ir ali atrás das árvores!!! — gritou Valdomiro, disfarçando a risada.

Coisa que nenhum de nós conseguiu segurar.

Enquanto todo o mundo colocava a mão no nariz e reclamava com o Cabeça, ele se voltou para mim de olhos arregalados e gritou:

— Foi você, né, cientistazinho?

O pulo que ele deu para correr atrás de mim foi tão rápido que eu demorei alguns segundos para reagir.

— Corra, Felipe, corra! — alertou Valdomiro, gargalhando.

Corri entre as redes, as barracas e as fogueiras, dando uma canseira das grandes no Cabeça, que precisou parar para respirar.

— Essa não é a primeira vez que ele o deixa para trás, né, Cabeça? — perguntou Balanar, com o nariz tampado. — Pelo amor do que você mais ama, vá ao riacho se lavar!

— Eu não fiz nada, Balanar! Não sou eu, não…

— Vai querer culpar um menino desses? Vá logo, rapaz… — finalizou Balanar, olhando-me de soslaio e sorrindo. — Se fizer isso de novo, vou colocar isso aí dentro de sua narina direita, e o cheiro vai ser tão, mas tão ruim, que sua narina esquerda vai suplicar pelo divórcio…

Ele falou e passou a mão em minha cabeça.

Balanar andou até o centro do acampamento, onde chamou atenção de todos e começou a falar:

— Eu sei que o cheiro está complicado... mas tenho boas notícias. O Setor 1976 está funcionando a todo vapor, e ainda melhor, aceitará vocês, seus pés-rapados! Nós temos uma casa!

Olhei para João, que não conseguiu esconder o alívio. Peter e Mary comemoraram trocando abraços. Victor se jogou no chão e fez dez flexões, para depois falar:

— Preciso me preparar para as gatas de lá.

Cheguei mais perto de João e perguntei como ele estava.

— Muito mais de boa agora, Fê. Nós até conseguiríamos ficar mais uns dias na floresta, mas, aos poucos, perderíamos um, e depois outro, e depois outro, até não restar mais ninguém.

— Eita, não diga isso.

— Você sabe que é verdade, Fê.

— Então, eu não teria nenhuma chance quando Balanar me expulsou?

— Nenhuma... — ele abriu um pequeno sorriso —, nenhuma mesmo...

— Veja só, como ele pode ser assim? — apontei para Peter, que comemorava em cima da árvore e gritava alguma coisa como "Eu sou o rei do mundo!".

— Ainda bem que ele é assim, né? Ele nos faz rir para caramba.

— E que sorte deu, né? Mary é perfeita para ele!

— Ele tem sorte mesmo, viu, porque aguentá-lo o tempo todo… é difícil. E ela gosta muito dele, dá para ver na cara dela.

Mary também subiu na árvore, mais alto que Peter, e também começou a comemorar. Isso fez Peter querer subir mais alto que ela. E depois ela mais alto que ele, até que os dois chegaram ao topo da árvore, discutindo quem estava centímetros mais alto.

— Eu estou mais alto que todos vocês! — gritou Victor, na árvore ao lado, realmente muito maior que a de Peter e Mary.

Ela, porém, não deixou barato e decretou:

— Mas está sozinho!

Foi então que Mary tascou um beijo na bochecha de Peter, que só não caiu direto da árvore porque foi quicando de galho e galho e, no chão, foi salvo por João.

— Foi como cair dos céus… — cochichou Peter, com o maior sorriso que eu vira nos últimos tempos.

HEROBRINE

Depois de fugir dos homens no meio da floresta, a criatura decidiu que precisaria se reforçar. Precisaria conquistar pelo menos um pouco de seu poder de volta. Na forma em que estava era, sim, perigosa para quatro ou cinco adolescentes, mas não para vinte ou trinta homens armados.

Portanto, precisou largar tudo e todos a sua própria sorte. Não mais perseguiria aqueles moleques. Não por enquanto. Usaria o tempo que tinha para apenas uma coisa: reconquistar sua força para, então, esmagar todos.

Só havia uma única maneira, segundo as lendas antigas, de conseguir tal feito. Não era, obviamente, fácil. A missão seria complexa, e caso algum vacilo acontecesse, mortal. A criatura, porém, não tinha escolha. Era ou tentar cair perante os adolescentes. E isso ela não faria de forma alguma.

Tirou alguns dias para descansar e recuperar a energia necessária para tamanha tarefa. Depois, procurou o portal mais próximo para o Fim do Mundo. Tarefa simples para uma criatura como essa. Ao chegar ao portal, sabia que não tinha mais volta. Era dali para o Fim. O Fim que seria, ironicamente, seu novo começo. O único monstro capaz de realimentar a criatura era outro ser lendário, mitológico, cujas histórias se perdiam entre realidade e mentira, tamanha sua grandiosidade. Homens mentirosos diziam tê-lo derrotado; outros mentirosos diziam tê-lo encontrado e saído com vida. Os únicos homens que realmente encontraram tal monstro foram aqueles que nunca contaram suas histórias, porque já não tinham mais línguas para falar.

CAPÍTULO 9

— Ei, agora, olhe lá, o dr. Kim está sozinho! Eu e João fomos, como quem não queria nada, nos aproximando do doutor. Fingimos que estávamos conversando sobre qualquer coisa aleatória, até que, intencionalmente sem querer, eu trombei com o dr. Kim, encostado em uma árvore.

— Mil desculpas, doutor! Não vi o senhor aí... — falei.
— Não se preocupe. É... Felipe, correto?
— Isso, isso...
— E eu sou João.
— Olá, João.

O doutor colocou de lado o livro que lia, esticou a mão e nos cumprimentou:

— Como vocês estão?

— Ah, estamos muito bem... — falei —, bem melhor agora, né, que vamos para um lugar seguro.

— É, suponho que sim.

— Como assim, doutor? — perguntou João, preocupado com a resposta que o doutor havia dado.

— Ah, não se preocupem com isso, crianças, são questões tolas de minha mente. Aproveitem o resto do dia para descansar!

— Não, não, doutor, por favor, pode nos falar — tentei convencê-lo. — Eu já queria conversar com o senhor sobre algumas coisas...

— É mesmo? Sobre o quê?

Olhei para João, que me incentivou a falar.

— Eu... quando fui preso por Balanar, sem querer ouvi o senhor falar sobre Herobrine. E fiquei o tempo todo me perguntando o que seria.

O dr. Kim respirou fundo, passou uma mão na outra, fez algumas caretas, como se não quisesse falar sobre o assunto. Eu insisti. Ele ameaçou se levantar, mas Balanar surgiu ao seu lado e balançou a cabeça em concordância, permitindo que o doutor falasse.

— Eu acredito que descobri a forma de eliminar para sempre Herobrine.

— Ele não acredita, ele descobriu — confirmou Balanar.

Balanar mandou nos afastarmos do grupo para que ninguém ouvisse sobre o que íamos falar. Fomos até o riacho, carregando alguns baldes. Percebi que o doutor não era das pessoas mais tranquilas do mundo, sempre com uma expressão carregada, como quem fugia de algo.

É fácil esquecer que muitos desses adultos perderam tudo que tinham na vida, e, por isso, carregam tanto peso consigo, por não terem sido capazes de salvar aqueles que mais amavam. Algumas vezes penso se meus pais estão vivos e se sentem a mesma coisa.

Ao sentarmos na beira do riacho, o doutor começou a falar:

— Depois de um considerável tempo de pesquisa e informações que consegui colher, com outros cientistas já falecidos, consegui esclarecer algumas dúvidas que corroíam minha mente... o primeiro pensamento que tive, quando foi confirmada a existência de Herobrine, foi: se essa antiga lenda for real...

— Outras também devem ser! — concluí, mais entusiasmado do que eu mesmo esperava.

— Exato — continuou o doutor. — Foi quando soube também da existência de Steve e de seu desaparecimento repentino. Não tenho como afirmar, mas acredito que Herobrine deu um jeito nele...

Foi então que percebi: eu nunca contara ao doutor sobre Steve, sobre a luta que as duas criaturas haviam tido. Mas...

— Calma, Felipe, Balanar me contou sobre Steve, sobre como vocês o ajudaram a enfrentar Herobrine. Contou também que Herobrine continuou vivo, enquanto Steve simplesmente desapareceu. O meu ponto é outro... comecei a levar a sério as criaturas lendárias que diziam existir. E mergulhei, nos últimos tempos, em todos os estudos e pesquisas que consegui encontrar. Para isso, Balanar foi essencial. Foi ele quem mandou buscar, e por vezes foi em busca de livros e segredos.

— Eu disse, doutor, que faria o impossível para ajudá-lo — comentou Balanar, antes de voltar a molhar os pés na água.

— Em algumas ocasiões, os soldados voltavam apenas com a triste notícia de que a biblioteca, ou as

pesquisas, ou o que fosse, haviam sido simplesmente destruídas. Nada estava lá. O que poderia ser um mau sinal me deu uma certeza: eu estava no caminho certo. Herobrine estava destruindo tudo que pudesse me ajudar. Não que ele soubesse de mim, não é isso; mas, ele sabe que, possivelmente, aquela era a única forma de destruí-lo.

O doutor olhou fixamente para mim e depois para João. Fez uma concha com a mão e bebeu um pouco de água do riacho. Balanar estava de costas para nós, olhando ao redor. Parecia estar se assegurando que não havia ninguém ou nada por ali.

— Não tenho certeza se estou entendendo, doutor — disse João.

— Quando alguém do tamanho e do poder de Herobrine se preocupa em destruir bibliotecas e centros de pesquisa, é porque esconde algo. Ele não perderia tempo se fosse algo irrelevante. Comecei a sentir que estava no caminho certo, mas que havia um precipício a minha frente, pois nada, absolutamente nada do que eu tentava encontrar estava ali. Eu sabia para onde ir, mas não tinha como. Pior... eu podia vislumbrar o lugar a que tanto precisava chegar, mas era como se fosse uma ilha isolada, tão impenetrável para homens como nós.

— Certo, doutor, estou entendendo... — respondeu João. — Mas, o que mudou?

— Primeiro, eu mudei. Mudei minha estratégia. Em vez de mandar homens para bibliotecas e centros de pesquisa, e inevitavelmente perder alguns deles para as criaturas, sem que conseguíssemos absolutamente nada... tracei um mapa; um mapa de intelectuais e estudiosos da área. O processo foi bastante longo. Em vez de analisar o estudo, precisei analisar os estudiosos. Descobrir quem estudava tais assuntos. E, a partir de então, descobrir onde eles moravam e ir até suas casas e pegar o que eles tinham.

— Você... é um gênio! — não consegui me conter. — Você realmente é genial!

— Que bom que acha isso, Felipe — disse Balanar.

— Por quê? — perguntei.

— Eu sou o líder que as pessoas veem. Dr. Kim é o líder que pode nos salvar.

— Menos, Balanar, muito menos — respondeu o doutor —, eu sou um homem prático. Liguei um ponto ao outro. Herobrine pode ser mais forte e mais poderoso, entretanto, ele não tem o conhecimento dos homens.

— Balanar, isso não responde a minha pergunta: por que é bom eu ter achado o dr. Kim um gênio?

— Felipe e João, para o Setor 1976 nos aceitar, eles exigiram que eu levasse, pelo menos, vinte soldados: homens que podem conseguir seu próprio alimento e defender a comunidade que eles criaram. Vocês cinco não estão inclusos nisso.

— Como assim? — perguntou João, dando um pulo, com os olhos gigantes de arregalados.

— Eu achei bom vocês terem gostado da ideia do dr. Kim porque serão os responsáveis por ir até a casa dos estudiosos e encontrar tudo que eles tiverem.

HEROBRINE

Quando a criatura encontrou o Portal para o Fim, ativou os doze mecanismos necessários, com doze Olhos do Fim. Não levou muito tempo para reunir todos os itens necessários, já que a criatura era movida pelo Fim, atraída por ele, e sentia onde estava tudo que fosse necessário. Ela só precisava ir buscar.

Quando o portal foi iniciado, o que era vazio, transparente, tornou-se roxo, com brilhos azuis. Lembrava — e muito — o céu cheio de estrelas distantes e obscuras, com mais segredos do que um dia o homem poderia desvendar.

A criatura lançou-se ao portal e pôde ver que estava no lugar certo. Estava onde as lendas contavam.

Estava no único lugar onde seria capaz de se tornar poderosa mais uma vez. A ilha de Enderdragon a sua frente. Estava em uma plataforma distante, isolada, sem qualquer maneira de chegar até lá.

Herobrine ouviu, antes mesmo de ver, o som de fúria do dragão. Não havia dúvida que a ira de tal monstro acontecia porque alguém invadira seu espaço. E, nesse caso, não era qualquer alguém, e sim a criatura mais poderosa que existia.

Existia.

Pois nem o dragão, nem a própria criatura, sabiam se, no estado atual, ela seria páreo para o gigantesco terror que a aguardava naquela ilha.

CAPÍTULO 10

Balanar pediu que eu e João mantivéssemos segredo sobre a ideia do dr. Kim. O sigilo era total, ele nos fez prometer, não importava quão perturbados estivéssemos.

Isso não significa, de forma alguma, que Mary, Peter e Victor não desconfiaram de algo. Primeiro, porque sumimos por bastante tempo, e quando voltamos, estávamos com os dois líderes do grupo, carregando baldes de água. Depois, porque ficamos cochichando um com o outro e mal participamos das brincadeiras e conversas gerais.

Apesar de eu ainda estar absorvendo a notícia de Balanar, que mais parecia um soco no estômago, o acampamento era um lugar agradável de se estar. Todos estavam felizes. Alguns cantavam, outros jogavam baralho — que um dos guardas fez questão de pegar quando fugimos do barracão. Outros conversavam mais que animados em volta da fogueira. A maioria das histórias envolvia algum zumbi sendo eliminado.

Ninguém falava muito dos tempos de antes de Herobrine; pareciam não querer lembrar de nada, de ninguém. O mundo como era antes parecia não ter existido, ser apenas uma memória muito, muito, muito distante, quase como um sonho borrado.

Percebi que todos preferiam pensar assim, e, bem, fazia sentido. Qual a razão de relembrar o que já foi e, possivelmente, nunca voltará a ser? Mesmo que conseguíssemos eliminar Herobrine, quanto tempo levaria para o mundo voltar a ser normal? Voltaria, um dia? Talvez...

Talvez cada um tivesse seu papel. Balanar seria o líder político, eu e dr. Kim, os cientistas. João, o médico. Victor, o esportista. Mary, o cérebro. E Peter... hum... Peter, claro, o escritor! O contador de todas essas histórias. Lógico, seus livros não seriam muito fiéis ao que teria acontecido, mas melhor que nada!

Até Valdomiro já tinha seu papel: chefe da polícia. Ele sabia lutar e ser justo.

Quem sabe conseguiríamos reerguer o mundo!

— Felipe? Ô! Responda, doido!

Victor cutucava minha cabeça, chamando-me para realidade. Só então percebi que João, Peter e Mary não estavam mais ali.

— Eita! Dormi acordado aqui... foi mal...

— É, sua cabeça está longe, doido!

— Cadê o resto?

— Foram dar uma volta. Ô, diga aí, o que vocês conversaram com Balanar?

— De novo isso, Victor?

— Está todo o mundo querendo saber, pare com isso...

— Cara, já falei, não é nada demais, relaxe!

— Nós nunca guardamos segredo um para o outro, Felipe! Fale, mano!

— Victor...

— Victor, nada. Não tente me convencer a ficar quieto, que eu não vou! Não vou parar até você falar!

Fechei os olhos e respirei fundo; imaginei o que poderia dizer para fingir alguma coisa, mas não conseguia pensar em nada. Ele não pararia mesmo até eu dar uma resposta definitiva.

— É o seguinte, Victor. Eu não posso e não vou falar. Se você achar ruim, está vendo aquele cara ali? — apontei para o sujeito do qual eu falava.

— Balanar?

— Ele mesmo. Está achando ruim? Vá e fale direto com ele.

— Nossa senhora, não precisa falar assim, também!

— Você não para de encher o saco, cara!

— Ah, tudo bem, Felipe, fique com seus segredinhos aí.

— Não é por querer, Victor, eu simplesmente não posso falar. Quando for a hora, você vai saber.

— Beleza então, fera. Volte a dormir aí.

Victor saiu bravo, batendo o pé. "Sinto muito, meu amigo, eu é que não vou falhar com Balanar de novo." Eu já havia provado a consequência uma vez, e para mim estava mais que suficiente.

Faria o que Balanar mandasse. E ponto-final.

Balanar chamou a atenção de todo o acampamento e pediu silêncio. Ia nos atualizar sobre os últimos acontecimentos. Olhei para Victor e abri os braços, como

se perguntasse se doera tanto esperar um pouco. Ele simplesmente mostrou a língua.

— Meus leais companheiros, como eu contei mais cedo, nós fomos aceitos no Setor 1976.

Todos ergueram os braços em comemoração.

— Entretanto, uma condição foi feita, como podem imaginar. Todos os meus soldados precisarão seguir para lá amanhã cedo. Eu não irei junto.

Foi possível ouvir o coro de reclamação e discordância. Um dos guardas chegou a dizer que sem Balanar, não iria para lugar nenhum.

— Você vai, sim, meu companheiro! E vai porque eu sairei em uma missão com os cinco bravos jovens que já encararam Herobrine, com dr. Kim e dois de vocês: Valdomiro e Cabeça. Calma, calma, deixem eu terminar de falar, depois respondo a tudo direito, sem pressa. Nós vamos atrás de uma grande pista, para tentar encerrar tudo isto. E preciso de todos vocês lá no Setor para ajudar a manter a ordem e a vida naquele lugar, porque, em breve, precisaremos de todos eles!

— Por que não vamos todos juntos nessa missão? Muito mais chance de vitória, Balanar! — gritou um dos guardas, apoiado pela maioria.

— As chances serão menores se formos todos juntos, meu companheiro. Primeiro porque chamaremos muito a atenção de Herobrine; segundo, porque precisamos nos mover o mais rápido possível; e terceiro e último, porque eu realmente preciso de vocês para sustentar o Setor 1976 até minha chegada. Não será fácil, nem em minha missão, nem no Setor, mas confio em vocês para conseguirmos!

— Não sei, Balanar... eu quero ir com você — outro guarda se pronunciou. — Eu lhe devo a vida, e saber que você estará aí fora... não fico tranquilo com isso.

— Ora, ora, Camaleão, não fui eu que o salvei ontem, duas vezes? Não fui eu que o salvei na noite em que nos conhecemos, quando você havia sido jogado em um buraco por aqueles criminosos, que o deixaram lá esperando os zumbis? Não fui eu? Tenha um pouco de fé em mim, companheiro! Vou sobreviver e voltar para rir da cara de todos vocês!

Só então, com os primeiros segundos de silêncio, ao ser cutucado por João, percebi que Peter, Victor e Mary não tiveram reação alguma. Seus olhos estavam inertes, os corpos congelados, como se fossem estátuas. Nem mesmo Peter abrira a boca para nada.

O primeiro a se mover foi Victor, que caminhou para as árvores. Eu o chamei, mas ele sequer parecia ter ouvido. Peter e Mary olharam um para o outro e fizeram o mesmo, na mesma direção. Não quis

chamá-los. Eles precisavam absorver a notícia de que não iriam para o Setor.

Eu mesmo precisava absorvê-la.

Não iríamos para uma casa tranquila, plantar batatas e tentar viver uma vida normal. Iríamos para a cidade, ou, na melhor das hipóteses, para uma casa de um estudioso qualquer, que poderia ou não estar infestada por zumbis. Que poderia ou não ter os estudos de que precisávamos. Que poderia ou não servir de alguma coisa.

E isso simplesmente porque o Setor exigira guardas? A desculpa de Balanar não havia sido das melhores. Achei-a estranha, fraca, mas não quisera e não ia questionar. A última coisa que eu necessitava era que ele se irritasse comigo.

Se ele fazia questão de nos levar junto é porque via que podíamos ser úteis. Ou porque o Setor não nos aceitara e ele não quisera contar? "Não sei, não sei... A única coisa que sei é que estou me acostumando com a decepção", pensei.

— Não posso falar o que faremos, pois não sei se Herobrine está ou não nos ouvindo.

Voltei a prestar atenção no que Balanar falava nessa exata frase e pude sentir a atmosfera do acampamento ficando mais pesada, sem tantos sorrisos ou provocações. Foi como lembrar a todos que aquele ser horrendo ainda vivia e podia muito bem estar nos vigiando.

Eu já estava ficando um tanto preocupado quando Victor, Peter e Mary voltaram. Eles caminhavam devagar, conversando. Pareciam se consolar, já que Victor tinha o braço em volta de Peter e uma expressão de conforto. Não, eu não tinha como ter certeza, mas achava que Peter estava chorando. Eu não via sua cara tão inchada assim desde que, sem querer, ele comera uma costeleta de porco crua.

Achei que vinham em minha direção, mas se voltaram e foram para o outro lado, sem sequer me olhar. Estavam bravos comigo? Não era possível... eu simplesmente seguira as ordens que me deram! Não era culpa minha...

João se aproximou e perguntou:

— Você viu isso? Eles não falaram conosco.

— Acha que eles estão bravos?

— Você acha? Com certeza, Felipe. Não gosto disso... não gosto de magoar ninguém.

— Eu sei, João, mas não é nossa culpa. Se fosse qualquer um deles, você acha que eles contariam? Aliás,

acha que Mary não deve ter segredos do governo, que ela também guarda de nós?

— Não sei, Felipe, só sei que não gosto disso...

— O que podemos fazer?

— Acho que o melhor é dar um tempo para eles... vamos dormir, porque temos que acordar cedo. E quando acordarmos, tentaremos conversar com eles.

— Só dá para fazer isso mesmo, sei lá... que coisa tosca.

— Não é tosco, Felipe... Nós guardamos um segredo deles acerca de algo que lhes diz respeito diretamente. Nós sabíamos que eles não iriam para o Setor, e mesmo assim, não falamos nada. Eles passaram o dia inteiro sonhando com o que fariam quando chegassem lá... Peter já estava apostando com Mary quem plantaria mais batatas...

Não consegui segurar o riso e comecei a entender o que João queria dizer.

— Eu sei, é engraçado mesmo... e nós não dissemos nada. Não só isso, nem prestamos atenção no que eles estavam falando.

— Mas isso porque sabíamos que seus sonhos não dariam certo!

— E, mesmo assim, ficamos quietos...

Só então entendi completamente o que João queria dizer. E foi como se eu houvesse levado outro soco com as palavras. Primeiro de Balanar, e então de João. Respirei fundo. Como pudera ter sido tão egoísta assim? Só me preocupara com o que eu sentia, com minha decepção, e não me importara com eles, nem um pouco.

"Vou me desculpar amanhã e encontrar um jeito de compensar os três!", pensei. Por ora, tentaria compensar meu sono atrasado, já que Balanar me liberara da vigia depois de me contar que eu iria junto na missão.

HEROBRINE

Em cima da plataforma, isolado da ilha, sem pontes ou caminhos para chegar até lá, Herobrine precisou agir rápido, já que o Dragão voava em sua direção a fim de derrubá-lo no Fim. E caso isso acontecesse, ninguém, nem mesmo tais monstros, poderiam sobreviver.

Herobrine passou a construir sua ponte, bloco a bloco, mais rápido do que qualquer humano faria. O dragão percebeu e deu um rasante em sua direção, destruindo toda a ponte atrás de Herobrine, deixando-o sobre um único bloco.

O dragão não esperou mais, queria acabar com aquilo rápido, e usou seu rabo para acertar o último bloco.

Errou.

Mas seu erro foi não acertar o bloco, e sim Herobrine, que perdeu o equilíbrio e caiu, segurando-se na quina daquele pequeno quadrado para sobreviver. Ele usou toda sua força para se reerguer e passou a construir ainda mais rápido.

Dez ou doze blocos e ele chegaria até a ilha.

Não se o dragão pudesse impedir. E deu mais um rasante. Dessa vez, Herobrine não se contentou apenas em contar com a sorte. Soltou um raio em direção ao dragão, e este se esquivou no último instante.

Ainda assim, o vento balançou Herobrine, que precisou se manter fixo. Depois dessa escapada ele sabia que chegaria até a ilha. Isso não queria dizer, de forma alguma, que teria vida fácil a partir de então.

Uma horda gigantesca de *endermen* o aguardava. Se estivesse poderoso como antes, poderia controlá-los. Mas *endermen* não são como zumbis, fáceis e bobos. São criaturas vis e espertas, rápidas como poucas coisas naquele mundo.

O foco de Herobrine, entretanto, não era lutar contra os *endermen*, mas tentar evitá-los a todo custo, para destruir os sete Cristais do Fim, que mantinham o dragão vivo. Não importava quanto batesse no dragão;

se os cristais não fossem destruídos, ele simplesmente teria sua vida regenerada.

Portanto, os cristais eram prioridade absoluta.

E foi assim desde o início, quando Herobrine se esquivou de dois ataques de *endermen* e escalou um dos pilares de obsidiana, onde os cristais ficavam. Apenas um golpe de espada e eles foram destruídos.

O dragão urrou e entendeu a tática de seu adversário. Passou, então, a sobrevoar todas as torres a que Herobrine se dirigia. Se ele ia para uma torre da direita, o dragão o seguia. Se ia para a da esquerda, o dragão fazia o mesmo. E lá se sentava, soltava fogo e urrava, ameaçador.

Depois de horas nesse jogo, Herobrine estava esgotado. Não só de correr de um lado para o outro, mas de lutar contra os *endermen*. Restavam poucos agora. E só três cristais foram destruídos. O esforço não conseguia o que era necessário, pois, depois de tudo isso, ainda seria necessário lutar contra o dragão.

Pela primeira vez em muito tempo, Herobrine sentiu medo.

CAPÍTULO 11

Acordei com os primeiros raios do sol em meu rosto. Nossa! Eu estava me sentindo bem demais! Parecia que havia descansado dez anos em uma noite! Levantei, e ao dar os primeiros passos, vi dois guardas sorrindo para mim. Que dia maravilhoso! Tudo já começara bem! Tive um excelente sonho, no qual eu comia sozinho um delicioso bolo de chocolate! Acordei com o dia lindo, pessoas sorrindo, sentindo-me bem...

— Nossa senhora, Felipe — gritou João —, o que é isso?

— Meu Deus, João, olhe sua cara!

— A minha? Olhe a sua!

— A minha? O que tem com minha cara?

— Batom! — nós dois falamos juntos. — Batom?!
Valdomiro bateu no meu ombro e no de João e falou:

— Vocês dois estão iguais...

Se eu estou igual ao João e ele está com batom na boca, na bochecha e na testa, escrito "ZÉ RUELA", quer dizer que... eu estou com batom na boca, na bochecha, e na testa, escrito "ZÉ RUELA".

— Victor! — eu e João gritamos juntos.

Ele, Peter e Mary estavam a alguns metros de nós, rindo como se não houvesse amanhã.

— Mary, seu batom ficou demais nos dois — comentou Peter, que alternava as palavras com gargalhadas.

— Que graça, né? — respondi.

— Você? Está uma gracinha mesmo! — disse Mary, apontando para meu rosto e para o de João.

— Veja, se me desse mole, eu até tentava... — Victor abriu a boca e todo o mundo riu.

Vi Balanar saindo das árvores e tentei me esconder, mas, de longe, ele gritou:

— Que boneca, Felipe! Coisa linda! E você, João... uau!

— Sempre achei que eu tinha um rosto meio feminino... — disse João, entrando na brincadeira.

Pegou todos de surpresa; ficaram um segundo em silêncio, digerindo, até que caíram na gargalhada.

Ah, que se danasse. Procurei um balde de água para ver meu reflexo e comecei a rir também. Havia sido justo, merecido!

— Não que eu esteja reclamando... mas, por que fizeram isso? — perguntou Balanar.

— Porque eles não nos contaram sobre a missão — respondeu Victor.

— Eles foram mais traíras do que o maior traidor da história do mundo! — disse Peter, como se ainda estivesse bravo.

— Judas? Nós fomos mais traidores do que Judas? — perguntei.

— Quem é Judas, Felipe? O maior traidor do mundo é Albert Weskker, do Resident Evil! E vocês foram piores que ele!

— Acho que rolou um certo exagero aí, não? — comentou João.

— Exagero ou não, foi benfeito — sentenciou Balanar.

— Como assim? — perguntei, indignado, enquanto via o riso de vitória em Peter.

— Eu falei para vocês não contarem. Muito obrigado por isso. Mas não quer dizer que vocês não deveriam ter contado. Eles são seus amigos... se vocês sabiam, eles mereciam saber.

Não acreditei que Balanar estava dizendo aquilo. Filho de uma mãe! O pior é que ele tinha razão...

— Agora, não importa mais. Vocês três, desculpem os dois, fiquem amigos de novo e preparem-se para nossa missão. Vocês precisam confiar a vida uns aos outros, então, sem mimimi!

Olhei para Victor, que revirou os olhos, mas concordou com a cabeça. Olhei para Mary, que deu de ombros e admitiu que nem havia ficado brava, só quisera passar batom em nós dois. E, por último, olhei para Peter, que impôs uma condição.

— Perdoo a grande traição de vocês dois se... vocês me chamarem de Homem-Aranha!

Balanar deu um passo em direção a Peter e respondeu, por mim e por João.

— Isso nunca vai acontecer. Pare de graça e faça o que estou mandando!

— Tudo bem... — choramingou Peter, com um beiço do tamanho do seu medo.

Ou seja... gigantesco.

Balanar deu um tapinha nas costas de Peter, sorriu e se dirigiu ao centro do acampamento. Não precisou chamar a atenção de todos, porque todos já prestavam atenção nele. Balançou a cabeça positivamente, olhou para todos os lados, quase que nos olhos de cada guarda, e começou seu discurso.

— Os que irão ao Setor 1976 serão liderados por Camaleão e Lontra. Os dois já foram instruídos a como chegar até lá, o que fazer e qual função cada um terá. Vocês podem debater, eles estarão abertos a sugestões e ideias. Isso nunca foi uma ditadura, vocês sabem. A opinião de todos é importante! Têm uma ideia? Falem. Ninguém vai achá-la ruim! A não ser que seja igual àquela ideia de Tomate, que pediu ao dr. Kim para criar um tomate gigante. Lembram-se disso?

Todos olharam para Tomate e deram risada.

— Foi por isso que você ganhou esse apelido... que ideia boba, loucura... Enfim, voltando aqui para o assunto. Eu e a equipe da missão seguiremos para o outro lado, em busca do nosso objetivo. Estimo que leve entre dez e vinte dias para voltarmos. Se não voltarmos em quarenta dias, Camaleão mandará uma equipe de busca para nos procurar. Ele já tem os lugares. Se ainda assim não voltarmos, senhores, foi um prazer imensurável viver esses últimos dias com vocês! Boa sorte e vida longa!

— Boa sorte e vida longa! — gritaram todos, com os braços erguidos, em uníssono, por três vezes.

Vi Valdomiro e Cabeça se despedindo dos amigos, vi Balanar ser abraçado por todos os soldados. Alguns não esconderam suas lágrimas. Entregavam a ele alimento, roupa e o que achavam ser útil. Ele aceitava e agradecia tudo.

Esperamos todos os guardas partirem em direção ao caminho para então ouvir o chamado de Balanar.

— Senhores e senhoras — olhou para Mary —, estão prontos? Chegou a hora!

— Estamos chegando? — perguntou Peter pela quarta ou quinta vez, depois de Balanar já ter gritado com ele por ter perguntado outras quatro ou cinco vezes.

— Peter, melhor você ficar quietinho, eu acho... — falei.

Dava para sentir minha pele queimando no sol. Puxei a manga da camiseta e vi que já havia pegado um bronzeado. Tomei um gole de água para tentar diminuir o calor e o cansaço. Só fiquei com mais sede ainda.

Havíamos saído do acampamento umas quatro horas antes, e desde então, caminhamos por uma estrada do mundo antigo, onde pude ver carros abandonados, roupas, mochilas e até algumas bicicletas. Eu nunca havia pensado nisso, mas a bicicleta poderia ser muito útil em um apocalipse zumbi... não

precisava de energia, era mais rápida que as pernas e o vento no rosto era agradável.

Infelizmente, Balanar não deixou que pegássemos nenhuma bicicleta ou outro meio de transporte. Não entendi por que, mas preferi não questionar. Ele só respondeu que ou cabiam todos no veículo ou andariam todos.

Durante a caminhada, dr. Kim contou aos outros os detalhes que já havia contado a mim e a João sobre nossa missão, sua teoria e os resultados esperados. Revelou, também, que mapeara as casas de vários estudiosos que moravam na cidade a que estávamos indo. Iríamos a uma por uma, até encontrar o necessário.

Não paramos para comer nem para descansar. O ritmo da caminhada era normal, nem apressado, nem devagar. Mas depois de algumas horas, o que antes era normal já passava a ser um tanto quanto rápido demais. Dei tudo o que eu tinha, para não reclamar. Até porque Peter reclamava por todos nós. Algumas vezes era engraçado, como quando ele disse que jamais faria uma piada com videogame se parássemos por vinte minutos. Outras eram simplesmente irritantes, como quando ficava perguntando se estávamos chegando.

— Veja o tamanho dessa subida! — apontou Peter, olhando para a estrada.

— Se eu lhe disser que depois dela é a cidade, você fica quieto? — perguntou Balanar.

Foi então que Peter começou a comemorar e correu até o topo, onde se ajoelhou, ergueu os braços e celebrou. Parecia ter terminado uma maratona, de tanta emoção. Nós, que estávamos atrás, não conseguimos segurar a risada.

Mary também correu e pulou em cima de Peter, derrubando-o e rolando com ele até a descida, onde já podíamos ver a cidade. Eu me aproximei de Balanar e perguntei:

— Por que não havia placa nenhuma com a distância das cidades?

— As gangues destruíram todas as placas.

— Por que elas fariam isso?

— Você é esperto, Felipe, consegue responder a isso.

Eu não queria insistir e parecer bobo. Comecei a pensar e a tentar entender por qual razão alguém tiraria as placas da estrada. E, lógico, só existia uma: para que quem não conhecesse a região não soubesse onde estava. Isso faria dos perdidos uma presa mais fácil.

— Essas gangues... estão por aqui? — questionei Balanar.

— O que você acha, Felipe? Precisamos tomar muito cuidado. Chame Peter de volta, não vamos pelas vias principais.

Corri até Peter e o avisei do caminho que usaríamos. Seguimos até Balanar, que havia saído da rodovia, para a direita, e se sentava debaixo de uma sombra. Todos estavam ao seu redor. Ele começou a falar:

— Precisamos tomar muito cuidado. Não só com Herobrine, não só com os zumbis, mas com algumas gangues que podem estar na cidade. Além de todas as razões, não trazer toda a tropa foi bom, porque, com tantas pessoas, chamaríamos muita atenção. Melhor assim, porque podemos ser furtivos e objetivos.

— Tipo o Snake do Metal Gear? — Peter parecia mais animado do que deveria.

— Isso não é um jogo, Peter — respondeu Victor.

Balanar abriu os braços, irritado, o que fez os dois ficarem quietos imediatamente. E então, voltou a falar:

— Não cometam erros, façam o que eu mandar. Daqui a uns trinta ou quarenta minutos, o sol vai começar a se pôr. Hoje dormiremos em uma casa e começaremos a expedição só amanhã, correto? Tomem muito cuidado, com tudo. Não se separem do grupo, e se virem algo, avisem!

Balancei a cabeça em concordância, e todos fizeram o mesmo. As ordens eram simples, fáceis de seguir.

Depois de muito tempo eu estaria de volta a uma casa. Não uma fábrica, uma prisão ou um acampamento improvisado, mas uma casa. Feita para pessoas morarem, dormirem, viverem tranquilamente, aonde elas sempre voltariam ao final do dia para descansar e sossegar.

Era para lá que eu ia: para descansar e sossegar!

Entramos em uma das primeiras casas da cidade depois de derrotar alguns zumbis e até aranhas gigantes. Ela ficava dentro de um condomínio luxuoso. A casa tinha piscina, banheira, hidromassagem, tudo que se poderia esperar de uma casa chique. Infelizmente, claro, nem piscina, nem banheira, nem nada que envolvia água ou cuidado poderia ser usado, já que tudo estava abandonado.

Ainda assim, os sofás pareciam nuvens, de tão macios. A sensação que eu tive quando me joguei na cama foi a de ser abraçado por um anjo, de tão confortável que fiquei. Precisei vencer uma batalha feroz para levantar e inspecionar o resto da casa.

A cozinha tinha sabe-se lá quantos fogões e a área de lazer nos fazia sentir o lazer só de olhar para ela, com a já citada piscina, a churrasqueira enorme, os sofás gigantescos e as redes... a palavra podia ser a mesma: rede, mas comparar essas que eu estava vendo, com quase dois metros de largura, cheias de almofadas, com reforço e um tecido que parecia carinho de mãe, com aquilo em que eu dormira na noite anterior... humm... não dava nem para comparar, quanto mais chamar as duas coisas pelo mesmo nome.

Falando em nome... Balanar parecia estar adorando gritar o meu. Qualquer coisa que precisava ser feita, ele gritava: "Felipe! Felipe! Felipe!". Acho que já lhe havia atendido umas seis vezes em menos de uma hora nessa casa.

Enquanto isso, Valdomiro e Cabeça se jogaram nos sofás da sala, botaram os pés para cima e fincaram residência. Não tinham vontade nem cara de quem ia sair dali tão cedo. E Balanar os deixou lá.

O dr. Kim se instalou em um quarto e passou boa parte do tempo lendo anotações, textos e escrevendo suas conclusões e teorias. A determinada hora, chamou-me para perguntar alguns detalhes sobre nossa luta com Herobrine.

— Quando Peter enfiou a espada nele, o que aconteceu?

Contei ao doutor que a criatura cambaleara e depois desaparecera, mas que Peter revelara que havia visto uma fumaça roxa em volta da criatura.

— Humm... é possível que ele tenha partículas do Nether em sua composição biológica. Isso deve nos levar a Araquini ou ao dragão. São duas hipóteses interessantes...

— Doutor?

— Ah, desculpe, Felipe, estava falando sozinho. Pode sair.

— Você acha que...?

— Felipe, pode sair. Vamos descobrir em breve. Desculpe a grosseria, preciso colocar no papel o que está em minha cabeça — decretou, sem nem olhar para mim.

De fininho, saí e fui visitar Peter e Mary, que estavam na área de lazer. Mas... era tanto grude que não consegui ficar lá muito tempo. Na realidade, decidi sair quando vi Peter falando com voz fininha:

— Owwnn, Mary, claro que você é meu bebezinhoinhoinhoinho.

Foi a gota d'água...

Victor, claro, achou uma academia e estava malhando. Perguntei como ele conseguia; depois de andar tudo aquilo, ainda ter vontade de erguer peso.

— Essa é a diferença, Felipe, entre um frango como você e um maromba como eu. Eu faço exercício aeróbico, não musculação. Pegue uns pesos aí, você vai ver como é legal!

Franzi a boca, revirei os olhos e saí sem falar absolutamente nada. Andei pela casa, até encontrar João na cozinha, separando ingredientes e tudo que poderia lhe servir para criar remédios ou poções de cura para qualquer um de nós.

João era mesmo dedicado a tentar melhorar as coisas para todo o mundo. O simples fato de se preocupar em procurar os remédios, checar suas validades, achar outros ingredientes e criar misturas que poderiam salvar nossa vida já falava muito sobre ele.

Apenas sorri e não o incomodei.

Balanar estava trancado em seu quarto desde a hora que terminamos de preparar a casa e torná-la um lugar mais seguro — fechando portas e buracos com madeiras, trancas, preparando armadilhas etc.

Ele já havia preparado o revezamento de turnos para ficarmos de vigia. Eu seria o quarto. Preferia ser o primeiro, óbvio, porque aí, ficaria acordado e depois dormiria até o dia raiar. Sendo o quarto, dormiria primeiro um pouquinho... acordaria... dormiria mais um pouquinho...

Não demorou muito para todos começarem a se deitar. Peter até tentou puxar uma brincadeira de mímica ou qualquer coisa divertida, como ele mesmo disse. Mas foi desencorajado por todos os outros.

Era hora de descansar, preparar o corpo e a mente para a guerra do dia seguinte!

HEROBRINE

Todos os *endermen* foram dizimados. Restava apenas um Cristal do Fim. Herobrine mal conseguia escalar os pilares, e agora, com o dragão protegendo uma única torre, nem toda a velocidade do mundo o ajudaria a enganar aquele monstro.

Simplesmente porque o dragão não precisaria mais se mover. Tinha simplesmente que proteger o cristal, não importando quanto apanhasse.

Foi então que, ao acertar um trovão com mais força que o normal, Herobrine se deu conta do que, apesar de óbvio, ainda não havia lhe passado pela cabeça. O dragão podia até ter sua vida regenerada, mas isso não queria dizer que não sentia dor!

Herobrine foi rápido e pegou o pouco de pó de *redstone* que tinha e o espalhou pela torre onde estava o *enderdragon*. Improvisou um dispositivo, o mais veloz que conseguiu, e, antes de o dragão se dar conta do que acontecia, descarregou o trovão mais forte que pôde na torre.

O que aconteceu fez Herobrine gargalhar. A torre virou um condutor de energia tão forte que ao carregar o choque do trovão, não só espantou o *enderdragon*, como explodiu o cristal que estava sobre ela.

O tempo de comemoração foi tão veloz quanto uma descarga elétrica, já que o dragão, todo negro de olhos roxos, aterrissou ao lado de Herobrine e cuspiu mais fogo do que qualquer um poderia imaginar.

Apesar de não acertar em cheio, a dor que Herobrine sentiu beirou o insuportável. Ele, porém, já havia chegado até ali. Não desistiria agora. Ergueu sua espada e correu em direção ao monstro, que baforava fogo.

Herobrine desviava de todos os ataques e usava o tempo para entender o método de seu adversário. Ele produzia uma grande cuspida de fogo a cada trinta segundos e podia atirar pequenas baforadas a cada quatro segundos.

Foi nesses intervalos que Herobrine começou a atacar e castigar o dragão, que se viu sem saída, a não ser alçar voo. E era justamente isso que Herobrine queria, pois ninguém dominava tanto o arco e flecha como ele. Das primeiras três tentativas, acertou todas, fazendo o dragão voar cada vez mais rápido e mais longe.

Entretanto, o dragão não poderia voar para qualquer lugar, já que a área em volta de sua ilha era pequena. E o alcance do arco de Herobrine, enorme.

CAPÍTULO 12

Meu turno estava quase acabando. Dei mais de vinte voltas pela casa para não cair no sono. Victor, o vigia antes de mim, acordou dizendo ter visto fantasmas e ouvido barulhos esquisitos. Acho que ele não viu nada, só falou para tentar me deixar assustado.

O problema foi exatamente que faltando cinco minutos para eu acordar o Cabeça e ir dormir, comecei a ouvir barulhos de longe. Meu corpo gelou... fantasmas? Não, Felipe, deixe de ser bobo!, pensei. Devia ser algum animal ou até um zumbi... mas nada além disso.

O barulho começou a ficar cada vez mais alto. Vruuuum, vruuuum. Eu tinha certeza! Aquilo era o motor de um carro! Certeza! Corri para a janela do terceiro andar e vi quatro carros vagando pelo condomínio, pelas ruas.

Minha reação imediata foi bater na porta de Balanar, que atendeu tão rápido que levei um susto. Ele nem perguntou o que era, já parecia ter absoluta certeza do que estava acontecendo.

— Acorde o Cabeça e Valdomiro, conte para eles. Depois, os outros. Vamos fugir pelos fundos. Peguem tudo que conseguirem. Não sejam burros e não demorem! Eu acordo o dr. Kim.

Corri para acordar Valdomiro e Cabeça. Eles saltaram da cama. Já tinham tudo preparado para uma fuga. Fui até o quarto de João, que já estava em pé.

— Ouvi você bater na porta de Balanar. O que é?
— Uma gangue. Acorde, Victor! Vamos fugir.

Fui até o quarto de Peter e não consegui acordá-lo. Ele simplesmente não respondia, parecia estar desmaiado. Parti para o quarto de Mary, acordei-a e mandei-a acordar Peter imediatamente! Expliquei o que havia acontecido, e ela disparou para o quarto de Peter. Antes mesmo de eu cruzar o corredor, ele já estava em pé.

Todos estavam na sala com suas mochilas. Só então percebi que eu não havia pegado nada! Corri para meu quarto, joguei tudo que encontrei dentro da mochila e voltei para a sala, onde Balanar pedia silêncio com um gesto.

Ele apontou para a rua. Um dos carros havia estacionado na frente de nossa casa. Caminhei até ele e falei baixo, mas para que todos ouvissem:

— Se ficarmos quietos, não podemos ficar aqui?

— Nem pensar — respondeu Balanar.

Cabeça concordou com ele e Valdomiro disse:

— Acredite, eles vão nos encontrar. Devem estar observando marcas de terra na calçada agora. Esses caras são bizarros, sabem se virar, são caçadores, Felipe. Precisamos sair daqui. Balanar, você tem um plano de fuga?

— Tenho.

— É sair pelos arbustos, seguir a casa da esquerda, pular a cerca para a casa de trás e seguir por entre o bosque?

— Exato.

E eu pensei que Valdomiro e Cabeça estavam só descansando. Pelo visto, estavam formulando um plano de fuga extremamente detalhado.

Um segundo carro estacionou na frente da nossa casa.

— É agora — sinalizou Balanar —, vamos. Em silêncio!

Para o nosso azar, era lua cheia, o que deixava a noite muito mais iluminada, e uma fuga... muito mais difícil. Contei a Balanar que havia visto quatro carros. Ele respondeu que deviam ser ainda mais, ou, pelo menos, mais homens a pé, vigiando os movimentos do condomínio.

— Tudo isso por quê? O que eles vão fazer conosco?

— Você não vai querer saber disso, moleque. Fique quieto e ande!

Quando entramos nos arbustos e seguimos para a casa da esquerda, foi possível ouvir o estouro na casa onde estávamos. Imaginei que haviam estourado a porta da frente. Ouvi gritos e palavras de ordem.

— Vamos, não olhem para trás. Eles vão demorar pelo menos um minuto para inspecionar a casa. Temos tempo — disse Valdomiro, tentando tranquilizar a todos.

Podia parecer besteira, mas o som de uma bomba explodida por humanos que estavam atrás de humanos me assustou mais que as perseguições dos zumbis de que tanto precisei fugir. Era um medo diferente, um medo paralisante!

Chegamos até a segunda casa, tão grande e luxuosa quanto a primeira. Agachados, fomos até a parte de

trás dela. Primeiro, Cabeça pulou a cerca. Depois, dr. Kim, Peter, Mary, Victor, João, Valdomiro e eu.

Quando Balanar estava no topo da cerca, pudemos ouvir os gritos e as lanternas apontadas em nossa direção, do terceiro andar, lá do mesmo lugar de onde eu vira os carros.

— Para o bosque! Para o bosque! Eles foram para o bosque!

Cabeça correu na frente, cuidando de todas as viradas e possíveis esconderijos onde a gangue pudesse nos surpreender. Valdomiro no meio, como que dando cobertura para todos nós, e Balanar na ponta final, atento a qualquer um que se aproximasse de nós pelas costas.

A questão era muito mais correr que lutar.

Não haveria chance nenhuma se fôssemos pegos.

— Cuidado nos bosques! É área de zumbis! — avisou Balanar.

— Claro que é... — murmurou Victor.

— A coisa só piora, gente, que tristeza, isso — reclamou Peter.

— Calma, meu bem, eu o protejo! Cuidado, cuidado o buraco, Peter! Está vendo, eu falei que o protejo!

Lanternas surgiram do nosso lado direito. Cabeça virou para o esquerdo e seguiu. Balanar sempre atento à retaguarda, tentando o máximo possível apagar nossos rastros no bosque. Ele não tinha muito sucesso, já que o tempo e a quantidade de pegadas não ajudava. Por isso, ordenou:

— Mais rápido! Mais rápido!

Não só eu, como todos os outros, demos o máximo de gás que tínhamos; e talvez por isso, João tropeçou em uma raiz de árvore, e sem que ninguém percebesse, ficou para trás. Balanar foi o único que viu, e precisou parar para ajudá-lo. Mandou, com as mãos, seguirmos em frente.

Todos os outros continuaram.

Eu parei. Não consegui!

— Felipe, venha! Balanar sabe o que faz! — avisou Victor.

— Vá! Vá! Eu vou ajudá-los!

Voltei para ver João, que havia torcido o tornozelo.

Pela primeira vez, com as lanternas se aproximando, o barulho de zumbis no bosque, a queda de João, vi o rosto de Balanar assustado.

— Venha, venha, vamos entrar aqui, silêncio completo — sussurrou Balanar, ajudando João de um lado, enquanto eu o ajudava do outro.

Ele apontava para um tipo de buraco entre duas pedras, onde normalmente caberia uma pessoa.

Sendo três, precisamos nos espremer ao máximo, sem fazer barulho, sem falar, sem quebrar galhos ou movimentar demais as folhas. Todo e qualquer barulho que fizéssemos poderia nos entregar.

Era perceptível o esforço de João para se manter ali, sem reclamar da dor, sem pedir remédio ou poção. Ele contorcia o rosto, e eu só pude sentir dó do meu amigo. Nada poderia ser feito para aliviar sua dor naquele momento.

A luz da lanterna começou a passar ao nosso redor. Os capangas estavam ali. Quando ouvi a respiração mais forte de um deles, percebi que estavam acima de nós, sobre uma das pedras, observando o entorno, imaginei.

— Não estou vendo ninguém! — gritou o capanga. — E aí, algo?

— Pegadas, só pegadas. Naquela direção!

— Fechou. Estou indo para lá, avise o resto, não os deixe escapar!

Consegui ouvir a caminhada do capanga pela pedra, até que ele pulou na terra e correu para o local de onde provinha a outra voz. E sim, era na exata direção de onde nos separamos do resto do grupo. Ou seja, Peter, Victor, Mary e os outros seriam perseguidos!

— Não saiam daqui, estão me ouvindo? — disse Balanar, rastejando para fora das pedras. — Não saiam daqui!

— E você? — perguntei —, vai para onde?

— Atrás deles. Atrás dos outros. Fiquem aqui! Eu voltarei para buscá-los. É uma ordem!

— Mas... — eu não tinha certeza se deveria fazer essa pergunta ou não —, e se você não voltar?

Pude sentir que Balanar pensava na possibilidade. E se perdia tempo dando atenção a isso, era porque a possibilidade era real.

— Esperem até o dia amanhecer, ok? Cuide dele, Felipe. Eu vou voltar.

— Feito.

Balanar desapareceu na escuridão, enquanto João parecia perder a consciência, não sei se pela dor, pelo sono ou o quê. Não falei nada, não quis incomodá-lo. Eu tinha absoluta certeza de que, mais que dor, João sentia culpa.

Culpava-se por ter feito nosso grupo se separar, por ter nos colocado em uma situação de mais risco ainda. E não importava que a culpa não fosse dele. Havia sido uma fatalidade, e só. Uma torção de tornozelo. Inesperada. Trágica. Mas, acontece.

Quando me remexi um pouco para aproveitar o espaço que Balanar havia deixado, vi que na mão de

João havia uma planta. Reconheci na hora qual era, porque ele me mostrara uma, um dia, justamente por, ter seu nome! Erva-de-São-João, uma planta que, se cultivada da maneira correta, podia pôr o sujeito para dormir quase na hora.

Por isso João havia perdido a consciência. A dor devia ser tanta que ele preferira apagar. Ao perceber isso, não consegui segurar a vontade de chorar, e, por João, senti muito, muito mesmo.

— Ei, acorde!

Ainda meio grogue, vi que a claridade já invadia até o buraco em que estávamos. Era Balanar quem nos chamava!

— Você conseguiu! — gritei.

— Não necessariamente. Acorde João. Não, não, primeiro prepare algumas poções de cura, pelo menos para ele superar a dor. Depois, comam alguma coisa. Tenho comida na mochila. E vamos partir.

— Partir para onde? — perguntei, enquanto me arrastava para fora da pedra.

— Não consegui encontrar ninguém, nem a gangue, nem os outros. Lá para baixo há um riacho, e aí não consegui rastrear ninguém. Prepare as poções para João. Agilize. Não temos tempo.

— Como vamos encontrá-los?

— Nós iríamos para casa do professor César, um dos alvos que o dr. Kim separou. Se conseguiram escapar, é para lá que foram.

Respondi que faria tudo o mais rápido possível. Na mochila de João, procurei ingredientes e remédios, fiz o melhor que pude com as misturas que tinha. Precisei buscar água; Balanar precisou acender o fogo. A todo instante eu olhava para todos os lados em busca de alguém. O menor dos barulhos criava a maior das tremedeiras; o frio na barriga era algo tão constante que a ausência dele era o que mais me surpreendia.

Entrei no buraco entre as pedras e cutuquei João, que não acordou. Cutuquei várias e várias vezes, até começar a achar aquilo estranho. Peguei o resto de água que havia recolhido no riacho e o joguei na cara dele, que despertou, ainda bem sonolento, como se estivesse acordando para ir à escola.

Ele começou a balbuciar palavras que eu não conseguia entender, de tão adormecido que estava ainda.

— Aaagoolaare noooun.

— O quê? Agora não? Vamos, rapaz! Acorde! João! João! Ei! Acorde!

Balanar me empurrou, agarrou a camiseta de João e o puxou para fora do buraco. No susto, João despertou de olhos arregalados, como se só então começasse a entender que estava acordando... a entender onde estava e o que acontecia. Automaticamente, colocou as mãos no tornozelo. Não parecia se lembrar muito bem. O remédio poderia fazer isso...

— Você se machucou ontem, lembra?

— Lembro? Acho que sim... os outros... ah, *okay*, lembro. O que aconteceu?

Fui responder, mas Balanar me interrompeu:

— Você caiu, machucou, a gente se escondeu, você dormiu, eu não encontrei ninguém. Agora, você precisa tomar essa poção de cura que o Felipe fez, torcer para o efeito ser o mais rápido possível, porque precisamos ir.

— Claro, claro, Balanar, vamos sim. Cadê a poção? — perguntou João, visivelmente desesperado para não nos atrapalhar ainda mais.

Típico dele... sempre se preocupando com os outros.

Foi então que Balanar fechou os olhos, respirou fundo, sentou-se apoiado em uma árvore e falou:

— Calma, sem tanta pressa. Leve o tempo que precisar, João. Veja se seu pé vai aguentar.

— Claro, Claro, Balanar, pode deixar, vou fazer isso agora mesmo!

João se sentou, tomou as poções, comeu a comida enlatada que Balanar serviu para nós, e falando a verdade ou não, disse que seu pé estava bom, que poderia andar. Eu tinha absoluta certeza que não estava nada bom. Entretanto, de nada adiantaria discutir, João bateria o pé, literalmente, se fosse preciso, para provar que podia andar — mesmo que não pudesse, só para não nos atrasar.

Começamos, então, a andar. Balanar optava sempre pelas rotas o mais escondidas possível. Combinou códigos comigo e com João. Se erguesse o pulso fechado, devíamos parar. Se apontasse para uma direção e balançasse a mão duas vezes, devíamos correr para aquele lugar. Se balançasse apenas uma, podíamos andar. Se erguesse o dedo indicador, devíamos procurar um lugar para nos escondermos. Na hora.

Ainda bem que até sairmos do bosque nenhum dos sinais foi usado. Mas a grande preocupação estava justamente na cidade, pela quantidade de prédios, pontos cegos e possíveis observatórios. Por isso, tomamos todas as rotas que poderiam ser de fuga, nunca entrando em pequenos becos ou nos aproximando

muito de um dos lados. Sempre permanecendo o mais ao centro possível, para poder correr em qualquer uma das direções.

Aos poucos, João começou a mancar mais e mais. Recusou ajuda e descanso. Afirmou categoricamente que estava bem. Por mais que estivesse claro que não estava nada bem!

— Fiquem aqui — falou Balanar, apontando para o interior de um carro aberto —, escondam-se aí. A casa do professor César fica na próxima quadra. Vou verificar e volto para buscar vocês.

— Podemos ir junto — respondeu João.

— E você vai correr como? Vai fingir que está bem? Isso não vai funcionar caso algum deles nos pegue.

João apenas balançou a cabeça e Balanar saiu.

— Não ligue para ele, moço — falei.

— Como não? Ele está certo, Felipe. Além do quê, eu estraguei tudo. Veja o que eu fiz, moço!

— Não foi culpa sua não, João, por favor!

— Essa não é a questão. Não importa se foi ou não. O que importa é que eu atrasei vocês, e isso, poxa, é duro de aguentar...

— Relaxe. Relaxe mesmo. Vai dar tudo certo!

— Tomara...

Quando Balanar saiu, o sol estava um pouco acima do nosso lado esquerdo. Agora já iniciava sua descida do lado direito e Balanar ainda não voltara.

HEROBRINE

A caçada de Herobrine ao *enderdragon* não parou. Flechas e mais flechas foram disparadas, e quando o dragão tentava alguma investida, Herobrine era rápido o suficiente para desviar. Porém, tanto o monstro quanto a criatura sabiam: caso um ataque, um ataque sequer do dragão fosse bem-sucedido, a luta estaria praticamente acabada.

E então o dragão atacava, cada vez de uma forma diferente. Mudando sua rota no último instante, fingindo que ia cuspir fogo e esperando Herobrine desviar, para só então cuspir. Ou até usando seu rabo como arma secreta, depois de errar uma investida.

Foram dois golpes certeiros com o rabo.

Herobrine já sabia que isso poderia acontecer. Portanto, quando *enderdragon* voou em sua direção e ele conseguiu escapar, saltou o mais alto que pôde para desviar do rabo.

E foi quando o dragão urrou e soltou uma baforada de fogo exatamente onde Herobrine estava.

O ataque foi cruel, forte e terrível.

Herobrine não se mexeu.

E o dragão voou ao seu redor durante cinco segundos, para ter certeza de que não era uma armadilha; até que deu um rasante para desferir o golpe final. De boca aberta, deu o bote em Herobrine, que, sem se levantar, ergueu a mão direita e lançou um trovão direto na goela do dragão, que se desfez em milhares de pedaços e em um ovo.

Um ovo que daria nova vida a Herobrine.

— Meu Deus, Balanar! Por que demorou tanto?

— Não importa. Depois eu falo. Venham.

Olhei para João, que parecia tão perdido quanto eu. Por que não podia falar? O que havia acontecido?

— Venham! Não enrolem!

Seguimos Balanar, que atravessou pelos carros e entrou em um beco — o que já achei estranho. Ainda mais estranho sendo o beco sem saída. Balanar se dirigiu a uma portinha em um dos prédios.

— Venham, moleques! Andem!

Entrei e segui por um corredor bastante apertado e fedido, que parecia não ver limpeza havia muito tempo. Aliás, não parecia, não.... Não havia sido limpo em bastante tempo, e seja lá o que houvesse acontecido ali dentro, não fora algo legal, isso eu podia garantir.

Balanar seguiu escadas abaixo, cada vez mais rápido. E João, cada vez mais manco e com uma dificuldade absurda para descer.

— Ajude-o, Felipe!

Estendi o braço para João, que se desculpou com o rosto e se apoiou em meu ombro.

— Balanar, Balanar! — falei —, aonde estamos indo?

— Estamos despistando. Eu fui seguido.

— E a casa do professor César? Por que demorou tanto?

— Porque fui seguido até lá. E precisei dar um jeito de sair.

— Conseguiu escapar deles?

— Não. Precisei colocar dois para dormir. Outro escapou e me seguiu. Por isso demorei. Durante o tempo na casa, aproveitei para procurar um arquivo, qualquer coisa. Não achei nada. Nada. Nada, nada.

— Não acredito! — respondi.

— Em qual parte?

Eu não havia pensado exatamente em qual parte, fora mais uma reação. Só dei de ombros e perguntei.

— Vamos para onde agora?

— Para a segunda casa, eles podem estar lá.

— Vamos ficar nesse pingue-pongue, procurando por eles?

— Você quer fazer o quê? Anunciar na rádio? Colar cartazes nos muros? Ande, que a próxima casa é um apartamento, e estamos perto.

Não demorou muito, talvez o tempo de entrar em uns quatro ou cinco prédios, com o único propósito de despistar quem é que pudesse estar nos seguindo, até entrarmos no apartamento do outro professor, Tancredo. Pelo visto, os professores eram muito bem pagos, porque o apartamento era coisa fina mesmo. Cheio de quadros e outros detalhes, como...

— Ei, o que é isso? — apontei para um recado embaixo da porta de entrada que ninguém havia percebido.

João pegou a folha e leu:

— Super-herói de Peter.

— Oi? — perguntei.

— Peter? — Balanar também reagiu.

Ele pegou o papel e leu, para ter certeza de que era aquilo. Fiz o mesmo. Não que João estivesse mentindo, era muito mais um costume, o tal do ver para crer.

— Eles... deixaram isso?

— Óbvio — respondeu Balanar. — A folha está limpa, a caneta também. O que isso quer dizer?

— Homem-Aranha! — respondeu João. — Procurem uma aranha, qualquer coisa de aranha, nosso recado vai estar lá! Certeza!

Começamos a revirar o apartamento, de baixo para cima. Nem procuramos pelas pesquisas ou estudos, simplesmente porque, se estivessem ali, eles já teriam feito isso. A situação começou a ficar desesperadora quando não encontramos nada.

Parei, coloquei a mão na cabeça, tentando decifrar o que aquilo significava. Respirei fundo e comecei a olhar pela casa. Olhei em todos os cantos, em cima de todos os móveis, procurando uma camiseta, uma máscara, o que fosse. Até que... olhei para a quina do teto, onde havia uma teia de aranha gigantesca e algo pendurado nela.

— É isso!

Apontei para a teia e Balanar logo entendeu. Subiu no sofá e se esticou, agarrou um papel que devia ter

uns cinco ou seis centímetros, onde viu escrito, em letra minúscula:

Dia 1 — Noite da fuga
Dia 2 — AP T/Casa M
Dia 3 — Casa C/CasaJ
Dia 4 — Casa I/AP L
Dia 5 — Casa H/AP E
Repetir

— O que isso significa? — perguntei, sentindo que tudo aquilo era inútil. — Por que não fizeram tudo detalhado? Que saco!

— Você é bobo, Felipe? Só eu vou entender esses códigos. São as letras iniciais dos nomes dos professores que vamos visitar. O primeiro apartamento a que foram foi o de Tancredo. Agora, devem estar na casa de Marcelo. Amanhã de manhã vão para a casa de César, onde fomos hoje. Depois, para casa de Jair. Enfim, é isso. Eles estão agora na casa de Marcelo!

— E onde é? Dá para irmos hoje ainda?

Balanar caminhou até a janela e viu que o sol já se punha.

— Não sei... — ele olhou para João. — Não, não dá.

— Eu consigo, Balanar! Eu tomei mais da poção, improvisei no carro.

— Não minta para mim, João. Se você não aguentar andar, acha que vou simplesmente abandoná-lo? Não, eu vou ficar para lutar com você. E aí, nós três vamos, ó, virar zumbi.

A fala de Balanar me deu um arrepio daqueles que congelam até a espinha. João preferiu não contestar; ele sabia que estava errado.

— Vou achar um mapa decente — Balanar voltou a falar — e traçar uma rota entre a casa de Marcelo e a de César. Não quero deixar que eles cheguem até lá. Acho que aquela casa estará sendo vigiada.

— Ótima ideia! — respondi, sorrindo, tentando animar um pouco a situação.

Não pareceu funcionar, já que Balanar apenas franziu a boca e bufou, não de raiva, mas de tristeza.

— Eu até iria sozinho avisá-los, mas… não aguento. São quase três noites sem dormir. Estou a ponto de tombar para um dos lados — admitiu ele.

E só então eu me toquei de que Balanar não havia dormido na noite da invasão do barracão, e não devia ter dormido na noite do acampamento, tentando estabelecer contato com o Setor 1976. E muito menos

dormira na noite anterior, quando fora atrás dos outros e me deixara com João nas pedras.

— Eu vou fazer o mapa e dormir. Não precisam ficar de vigia, ninguém vai nos encontrar aqui. Garanto.

— Tem certeza, Balanar? — perguntei. — Eu posso ficar de vigia, posso revezar com João.

— Tenho certeza. Porque, depois do mapa, vou instalar duas armadilhas. Durmam hoje como anjos. Cuide desse pé, João. Amanhã, não teremos mordomia.

João balançou a cabeça, e eu lhe desejei boa sorte com o mapa. Balanar saiu e ficamos só eu e João. Não tínhamos lá muita coisa para falar naquelas circunstâncias. Portanto, cada um cuidou de suas coisas. Ele, dos remédios. Eu, das poções. E logo depois, puxei uma almofada no sofá e dormi.

Fui o primeiro a levantar. Comecei a preparar o café da manhã e acordei João para que ele também fizesse seus remédios e alongasse o tornozelo. Assim, Balanar poderia dormir um pouco mais.

Foi o que pensei...

Sem aviso prévio algum, a porta de entrada foi aberta, e puxei a primeira coisa que estava perto das minhas mãos — um vaso chinês — e o arremessei.

— Está louco, Felipe? Sou eu, seu animal! — gritou Balanar, que, pelo visto, já estava acordado fazia certo tempo...

— Ufa! — respondi.

— Ufa? Ufa? Você quase acertou um vaso na minha cara!

— Eu... eu...

— Você está de parabéns, rapaz! É assim mesmo que tem que reagir! Achei que vocês estavam dormindo e não disse nada.

— Eu estou de parabéns?

— Ele está de parabéns?

— Claro! Vamos precisar desse espírito, dessa agilidade.

— Vamos? — perguntei.

— Vamos mesmo? Estou ferrado... — falou João.

— Possivelmente — respondeu Balanar. — Estão prontos? Precisamos partir!

Cada um recolheu suas coisas e Balanar tomou a dianteira, usando seus caminhos, atalhos e desvios para tentarmos chegar o mais rápido e seguro possível à casa do professor César. Eu e João esperaríamos

lá, escondidos, enquanto ele faria a rota para ver se encontrava os outros.

Cerca de uma hora depois, em frente a uma mansão antiga cheia de estátuas assustadoras de gárgulas e um ar de casa mal-assombrada, Balanar sentenciou:

— É aqui, podem entrar— apontou para a mansão.

Eu e João nos olhamos um tanto quanto surpresos pelo... humm... gosto peculiar do professor César. Sem muita escolha, entramos pelo portão. Balanar nos guiou até a porta, e quando a abriu, pude ver que não só o exterior da casa era estranho.

No interior havia ainda mais estátuas espalhadas pelo *hall* de entrada, que era todo de madeira, com um lustre enorme, que descia do altíssimo teto até quase uns dois metros do chão.

— *Okay*... Balanar, você se importa se esperarmos lá fora?

Balanar simplesmente me encarou, virou as costas, e na porta, alertou:

— Não façam barulho, não saiam daqui. Se ouvirem ou virem algo, escondam-se. E fujam para o apartamento. Vocês sabem voltar lá, certo?

— Eh... sabemos? — perguntei, deixando óbvio que eu não fazia ideia de como voltar lá.

— Eu mandei vocês prestarem atenção!

— Eh... mandou?

— João, você sabe, não sabe? — Balanar insistiu.

— Lógico que sei! — respondeu João, fazendo-me parecer uma toupeira.

Balanar olhou para mim e ergueu os braços. Só então, depois de deixá-los um bom tempo erguidos, ele saiu.

— Sério, João, você lembra?

— Lógico que lembro, Felipe.

— Duvido.

— Quer voltar lá agora?

— Quero!

— Boa sorte... porque eu não saio daqui.

— Engraçadão!

Procurei um sofá onde pudesse me sentar sem precisar ficar encarando uma estátua ou um quadro com desenhos obscuros. E sem precisar andar muito pela casa, porque eu não tinha absolutamente a menor vontade de conhecer aquilo ali.

João passou boa parte do tempo tomando poção. Além, claro, de alongar e massagear o tornozelo à espera de que melhorasse o mais rápido possível.

— Como está isso aí?

— Melhor...

— Sério mesmo?

— Sério. Melhorou bastante de ontem para hoje. Dei uma forçada na poção e melhorou bastante.

— E os efeitos colaterais?

— Ah... pode agravar uma doença ou outra, mas, na atual circunstância, não dá para garantir que a doença vai ter tempo de se desenvolver — disse ele, e começou a rir.

No começo achei esquisito... rir de uma piada dessas... mas, depois... caí no riso junto.

— Moço, estou cansado de esperar. Nesses últimos dias estamos só esperando, caraca...

— Pois é, mas você não ia queria ser o Balanar e sair por aí, deixando os outros esperando.

— Bem... pensando por esse lado, estou de boa aqui, viu?

João soltou uma gargalhada tão alta que juro que a casa pareceu responder. Mas era só o eco, garantiu João.

— Do que os dois bobos estão dando risada? — disse Victor, aparecendo na porta.

A primeira reação foi de susto por outra pessoa estar ali. A segunda, uma corrida em direção a ele e um salto que dei nele, em Peter e em Mary, derrubando-os no chão. O dr. Kim entrou logo em seguida, assim como Valdomiro.

— Cadê Balanar? — foi a primeira coisa que ele perguntou.

Só então percebi que o encontro não havia dado certo e que Balanar estava lá fora, correndo perigo.

— Ele... foi atrás de vocês. Fez uma rota e tentou encontrá-los antes de vocês chegarem aqui.

— Por que isso? — perguntou o doutor.

— Porque a casa pode estar sendo vigiada...

Só então percebi que Valdomiro carregava duas mochilas e que Cabeça não estava ali

— Eu... o que aconteceu com o Cabeça?

Todos abaixaram a cabeça, ninguém respondeu.

— Não acredito... — disse João. — Ele...?

— Sim — Peter deu a resposta com a voz embargada. — Ele nos salvou. Foi um herói!

Fechei os olhos e quis chorar. Senti muito pelo Cabeça. Mas não fui eu quem desabou. João se jogou no chão e começou a soluçar de tanto choro. Era óbvio. Ele se culpava. Simplesmente o abracei. Nada que eu ou qualquer um falasse ali adiantaria algo. Até que Mary se aproximou e falou:

— Ele foi um verdadeiro herói, João. E mesmo que você não houvesse se machucado, ele ainda faria o que fez. A situação foi outra, fugiu do nosso controle e fomos parar em um lugar onde aquilo aconteceria de

qualquer maneira. De verdade, não se culpe. Cabeça odiaria isso. Ele fez o que fez para que nós nos salvássemos, para que ficássemos bem. Não tristes!

Aos poucos, João foi se recompondo, mas permaneceu no canto, distante e em silêncio.

— Balanar precisa voltar. Temos coisas a conversar.

— O que aconteceu, doutor?

— Nós encontramos informações úteis, Felipe. Nossa busca acabou. Não precisamos nos arriscar mais. Encontramos o que queríamos.

Eu gostaria de ter ficado mais feliz do que fiquei. Teria valido a pena? Teria valido perder o Cabeça? Ele diria que para salvar o mundo, não havia dúvida. Ainda assim, sempre temos dúvidas.

— Ele deve voltar em breve, doutor. Não vai demorar. A rota não era muito grande.

Valdomiro reapareceu; depois de fazer uma ronda pela casa, falou:

— Fiquem todos preparados. O sinal pode vir a qualquer momento. Qualquer momento mesmo. Fiquem preparados!

Parecia até que Valdomiro era um profeta, pois, logo depois, a porta se abriu e Balanar entrou correndo, com os olhos transparecendo o desespero do que tinha visto.

— Corram! Eles estão com Herobrine!

Não deu tempo nem de olhar para trás, só de seguir Balanar, que correu em direção a outra saída. Todos fizeram o mesmo. O som da casa explodindo chegou poucos segundos depois de a deixarmos para trás.

O barulho de carros derrapando e acelerando vinha de vários lados. Eles deviam estar se posicionando para nos encurralar. Um dos carros surgiu no topo de uma das ruas. Corremos para as casas.

— NÃO ADIANTA FUGIR!

O grito saiu de um megafone superpotente.

— EU ESTOU VENDO VOCÊ DE HOMEM-
-ARANHA! VAI SER O PRIMEIRO!

— Ai, por favor, estou com muito medo, por favor, Mary, proteja-me, por favor, por favor — choramingava Peter.

— Não vai acontecer nada, Pepê, eu prometo!

— Pepê?! — perguntei.

Eu não sabia com que estava mais assustado: com esse apelido tão fofo que era nojento ou com a gangue. Quer dizer, sabia sim: com o apelido, muito mais!

Corremos pelo quintal de várias casas, até sairmos em outra rua e continuarmos cruzando as quadras dessa forma. A fuga era cada vez mais rápida, e eu não sabia se aguentaríamos esse ritmo por muito tempo. Muito menos João.

— E se nos espalharmos? — sugeriu Victor.

— Não! Ninguém vai se separar! — respondeu Balanar de imediato, sem dar chance para ninguém sequer pensar sobre o assunto. — Nós vamos conseguir!

E a sensação era essa mesmo, de que íamos conseguir! O barulho de carros foi ficando cada vez mais raro. E mais baixo. Talvez Balanar estivesse certo! Atravessamos mais uma cerca, entre uma casa e outra, e estávamos quase na rua, quando...

Ah, não!

Não havia mais ruas. O que havia era um muro gigante, que ocupava toda a quadra. Talvez de uma prisão, talvez de uma empresa… não importava. O que importava era que não havia como cruzar aquela quadra.

— VOLTEM! VOLTEM! ESTOU AQUI ESPERANDO VOCÊS! — gritava o doido do megafone.

Não podíamos voltar. Era para cima ou para baixo. Dois carros viraram na esquina de cima. Pronto. Dissiparam minha dúvida. Todos nós corremos para a outra direção, quando três novos carros ali surgiram.

Estávamos encurralados!

— Acabou… — sussurrei.

Da última casa de onde havíamos saído caminhava um homem com máscara de palhaço e roupa de couro amarela, gritando no megafone:

— VOCÊS AINDA PODEM CORRER PARA AS DIAGONAIS!

E, então, claro, surgiu um homem de cada diagonal.

— OH, EU ME ENGANEI, NÃO PODEM, NÃO, HIHIHIHIHI!

Tentei decifrar o que Balanar estava pensando, qual era o plano, o que ele faria, quem atacaria primeiro, como nos tiraria dali. Então, ele deu um passo à frente.

— OH, VOCÊ É O LÍDER! É SUA IDEIA BRILHANTE?

— Nós nos rendemos e esperamos que sejam misericordiosos conosco.

O quê?! Como assim?! Dava para ver a surpresa no rosto de todos os outros.

— OH OH OH HIHIHIHI OH OH OH HIHIHI! ELE ESPERA QUE SEJAMOS MISERICORDIOSOS! O QUE VOCÊS ACHAM, RAPAZES?

Os carros já haviam se aproximado. Eram oito homens no total, todos com porte físico de seguranças e bem armados. Todos usavam máscaras. Não só de palhaços, mas de animais e um até de zumbi. Não tínhamos a menor chance, a menor chance...

— Eu suplico a vocês que tenham misericórdia de nós.

Os homens continuaram a rir de Balanar e da situação em que estávamos.

— OH OH OH HIHIHI, NA HORA DE APAGAR O JEREMIAS E O JUDAIAS ALI — apontou para dois dos homens da gangue — VOCÊ NÃO LIGOU, NÉ? FEZ OS DOIS DESMAIAREM. AGORA QUER MISERICÓRDIA? NÃO VAI! NÃO VAI TER! NÃO VAI TER! HIHIHIHIHI

Cada passo que eles davam em nossa direção era um aperto maior no peito. Eles gargalhavam. O capanga do megafone apontou para Balanar e mandou que se aproximasse. Balanar obedeceu e se distanciou de nós uns cinco metros. Ficou de frente para ele.

— DE JOELHOS!! HIHIHIHI

Balanar se ajoelhou.

— SUAS ÚLTIMAS PALAVRAS OH OH OH HIHIHIHI!

Balanar respirou, fechou os olhos.

Um dos carros da rua de baixo explodiu.

Balanar saltou e rendeu o capanga do megafone, que havia se distraído.

De todos os lados, mais de vinte homens nos cercaram e renderam a gangue.

— Não acredito... — disse Balanar.

Ele tomou o megafone do capanga e repetiu:

— NÃO ACREDITO! CAMALEÃO, SEU... VOCÊ NÃO ME OBEDECEU!

Camaleão e os outros chegavam morrendo de rir, enquanto alguns prendiam os capangas.

— Desculpe, chefe, eu precisei recusar sua ordem.

— Você...

Balanar não falou mais nada, só abraçou Camaleão, que revelou ser ele que nos seguia, no começo. Até que, então, a gangue passou a nos seguir também. E eles passaram a seguir a gangue.

Deixamos os capangas presos nas árvores. Eles conseguiriam se livrar dali, mas demoraria um pouco. Pegamos os carros que sobraram, passamos pela base da gangue que Camaleão havia seguido e pegamos quase todos os suprimentos deles. João mandou deixar alguma coisa para eles não morrerem de fome. Menos, claro, a bota ortopédica que ele achou, que serviria para seu tornozelo. Só então ele admitiu a dor.

Depois de algumas horas de viagem, risos e alívio, Balanar decidiu acampar. Ainda faltava um pouco para o Setor 1976. Completaríamos a viagem no outro dia de manhã. Todos prestaram uma homenagem ao Cabeça.

Enquanto todos se reuniam na fogueira, Balanar chamou aqueles que participaram da expedição para a cidade. Eu, João, Peter, Mary, Victor, dr. Kim e Valdomiro, que preferiu não participar.

— Dr. Kim tem novidades para nós — disse Balanar.

— Nós descobrimos como eliminar Herobrine — começou dr. Kim —, e isso graças a todos vocês!

Pela primeira vez em muito tempo o choque e o frio na barriga eram por coisas boas!

Obviamente, todos perguntaram como seria isso. E foi aí que o dr. Kim fez uma careta e Balanar assumiu.

— O dr. Kim encontrou os documentos, e conseguiu ler todos durante a noite anterior e a viagem no carro. Ele descobriu sobre o labirinto.

— Que labirinto é esse, doido? — perguntou Victor.

Por alguns segundos, fiquei sem reação, tentando entender se ele estava falando o que eu achava que ele estava falando. Olhei para João, Mary e Peter, que também tiveram a mesma reação que eu. Olhei para o dr. Kim, tentei obter algo que seus olhos pudessem me dizer, mas estavam longe, muito longe.

— Balanar, você tá falando do labirinto que estou pensando? — perguntei.

— O labirinto de Araquini.

— E isso deveria significar alguma coisa? — questionou Victor, já irritado.

— Victor, você não…? — perguntou João.

— Eu… eu… li sobre quan… quando… pesquisei para escrever o… oo… ooo livro de Herobrine — disse Peter, gaguejando depois de muito tempo, o que já mostrava a gravidade da situação.

Ele respirou fundo e voltou a falar, sem gaguejar:

— A lenda dizia que Araquini era a rainha desse mundo e lá havia aprisionado as mais terríveis criaturas, como o *Slenderman*, o *Whiter*, o Golem de Ferro, o Dragão do Ether e muito mais coisas... No fórum, os fãs que gostavam muito da lenda não o chamavam só de "O Labirinto de Araquini", mas também de "Entrou, não saiu".

— Por quê? — perguntou Victor de novo.

Não aguentei e respondi.

— Porque se você entra, não sai.

— Exatamente — respondeu Balanar.

— E, deixe-me adivinhar. Nós vamos precisar entrar lá — falei, coçando a cabeça.

— Exatamente — finalizou Balanar, mais uma vez.

EPÍLOGO

Herobrine arrastou-se até o ovo do *enderdragon*, e com um pequeno choque, quebrou-o. Ao quebrá-lo, uma bola de energia roxa surgiu. A criatura levou as mãos até a energia e, de repente, todo o corpo de Herobrine possuía um tom roxo.

Era como se seu corpo emitisse uma pequena névoa arroxeada. Seus olhos não mais eram azuis; eram completamente roxos. A criatura sentiu toda a energia percorrer seu corpo, e já não parecia que havia lutado durante horas a fio. Parecia despertar de um longo e revigorante sono.

A criatura estava pronta, uma vez mais, para destruir absolutamente todos que se opusessem a ela. O que era vingança tornou-se desejo. O que era ódio tornou-se obsessão. O que era divertimento tornou-se obrigação. E um novo Herobrine nasceu depois que o ovo foi chocado.

Perigoso como sempre, mais forte como nunca deveria ter deixado de ser. Ele agradeceu, do fundo do seu inexistente coração, ao *enderdragon*, por existir, e nesse momento, por morrer. Sem tal monstro, Herobrine jamais voltaria a ser tão poderoso quanto antes.

Ele estava pronto para o final da história daqueles adolescentes. E não seria nada agradável. Para eles.

LEIA TAMBÉM

HEROBRINE
A LENDA

O amado quarteto: Felipe, Peter, João e Victor viverão uma aventura que nem o mais crente dos habitantes de Mine poderia imaginar. Eles despertaram Herobrine, que muitos julgavam ser apenas uma lenda, e agora precisarão correr contra o tempo para tentar derrotar o ser mais poderoso e maligno do mundo, derrotando zumbis, esqueletos e aranhas, enquanto torcem para encontrar o único ser que poderá ajudá-los, o primeiro homem de Mine.

LEIA TAMBÉM

A FÚRIA DOS MOBS

Spok acordou no mundo fantástico de Minecraft. O susto de estar numa dimensão toda quadrada e esquisita não é tudo... Logo Spok irá encontrar um bando de monstros terríveis que querem acabar com ele. Mas ele não está só. Neste surpreendente *A fúria dos Mobs* ele conta com seus amigos Pac, Mike, Authentic, Toddynho, Moonkase, Cauê, Likea, Nofaxu, Malena, Jabuti e Jazz. Todos são personagens e todos correm dos inimigos Pedro e Maya, a aranha, entre outros seres aterrorizantes. E tem uma coisa ainda pior! Algo muito estranho está acontecendo com esses monstros, que sempre foram meio abobalhados... Eles não querem acabar só com Spok e seus amigos, e com uns poucos aldeões indefesos. Eles querem aprisionar todos os seus inimigos numa fortaleza sombria do Nether. Para sempre! Eles querem o mundo de Minecraft só para eles. Mas os mobs não vão conseguir isso tão fácil. Numa pequena aldeia, onde todos os amigos de Spok moram, eles vão resistir e lutar contra esse terrível exército. É tudo ou nada! Embarque nessa aventura eletrizante!

INFORMAÇÕES SOBRE A
GERAÇÃO EDITORIAL

Para saber mais sobre os títulos e autores
da **GERAÇÃO EDITORIAL**,
visite o *site* www.geracaoeditorial.com.br
e curta as nossas redes sociais.

Além de informações sobre os próximos lançamentos,
você terá acesso a conteúdos exclusivos
e poderá participar de promoções e sorteios.

- 🏠 geracaoeditorial.com.br
- f /geracaoeditorial
- 🐦 @geracaobooks
- 📷 @geracaoeditorial

Se quiser receber informações por *e-mail*,
basta se cadastrar diretamente no nosso *site*
ou enviar uma mensagem para
imprensa@geracaoeditorial.com.br

GERAÇÃO EDITORIAL
Rua João Pereira, 81 – Lapa
CEP: 05074-070 – São Paulo – SP
Telefone: (+ 55 11) 3256-4444
E-mail: geracaoeditorial@geracaoeditorial.com.br